ESCOLHAS INTELIGENTES PARA MELHORAR SUA VIDA

DEVI TITUS

Traduzido por Cecília Eller e Cleiton Oliveira

Copyright © 2019 por Devi Titus
Publicado por Editora Mundo Cristão

Os textos das referências bíblicas foram extraídos da *Nova Versão Transformadora* (NVT), da Editora Mundo Cristão, salvo indicação específica. Usado com permissão da Tyndale House Publishers, Inc. Eventuais destaques nos textos bíblicos e citações em geral referem-se a grifos da autora.

Todos os direitos reservados e protegidos pela Lei 9.610, de 19/02/1998.

É expressamente proibida a reprodução total ou parcial deste livro, por quaisquer meios (eletrônicos, mecânicos, fotográficos, gravação e outros), sem prévia autorização, por escrito, da editora.

CIP-Brasil. Catalogação na publicação
Sindicato Nacional dos Editores de Livros, RJ

T541e

   Titus, Devi
     Escolhas inteligentes para melhorar sua vida / Devi Titus ; tradução Cecília Eller , Cleiton Oliveira. - 1. ed. - São Paulo : Mundo Cristão, 2019.
     128 p.

     Tradução de: 10 smart choices a woman can make to improve her life
     ISBN 978-85-433-0467-0

     1. Espiritualidade. 2. Vida cristã. I. Eller, Cecília. II. Oliveira, Cleiton. III. Título.

19-58052   CDD: 248.4
                                                        CDU: 27-584

Categoria: Autoajuda
1ª edição: setembro de 2019 | 3ª reimpressão: 2024

Edição
Maurício Zágari

Revisão
Natália Custódio

Produção e diagramação
Felipe Marques

Colaboração
Ana Paz

Publicado no Brasil com todos os direitos reservados por:

Editora Mundo Cristão
Rua Antônio Carlos Tacconi, 69
São Paulo, SP, Brasil
CEP 04810-020
Telefone: (11) 2127-4147
www.mundocristao.com.br

Com grande honra, dedico este livro a Larry,
meu devotado marido, e a nossos dois filhos,
Trina Titus Lozano e Dr. Aaron P. Titus.
Suas escolhas de vida me mostraram como seria
essencial articular princípios que ampliarão
o potencial de cada indivíduo se ele souber
e aceitar quem é. Escolhas inteligentes são
possíveis para todos.

Sumário

Agradecimentos 9
Prefácio 11
Introdução 13

1. Escolha perdoar 15
2. Escolha baixar a guarda 29
3. Escolha se amar 43
4. Escolha abraçar a mudança 57
5. Escolha transformar o negativo em positivo 67
6. Escolha fazer a diferença 77
7. Escolha enfrentar seus medos 85
8. Escolha viver de maneira criativa 97
9. Escolha desenvolver a sua fé 109

Conclusão 119
Sobre a autora 123

Agradecimentos

Obrigada a todos que tornaram este livro possível. Agradeço especialmente à minha editora, a Mundo Cristão, por transformar minhas mensagens em livros.

Agradeço, ainda, aos líderes que me convidam para pregar no Brasil e permitem que minha voz chegue às pessoas que influenciam. Vocês têm sido muito gentis e generosos comigo.

Obrigada a todos os meus leitores brasileiros. Mesmo sendo americana, sou recebida como se fosse uma de vocês. Eu os amo com todo o meu coração. Amo sua cultura e seu idioma. Amo suas famílias. Juntos faremos a diferença em sua nação, ao elevar o padrão de virtude e fazer escolhas mais inteligentes em tudo o que realizarmos.

Finalmente, agradeço ao meu marido, Larry Titus, que me libera, me ajuda a fazer o que Deus me chamou para fazer e sorri, com alegria, ao me ver concretizar minha paixão. Seu amor é o vento sob minhas asas.

Prefácio

Ensinar é um dos maiores prazeres de Devi Titus, autora desta obra cativante. Ao decidir ler este livro, você recebeu a oportunidade única de absorver a sabedoria de Devi e desfrutá-la. É com enorme prazer que me junto a você nesta jornada literária, que certamente a fará crescer. Esta é uma obra leve e iluminada, que oferece, ao mesmo tempo, a grandiosidade de princípios bíblicos e as ricas experiências dessa mestre inspiradora.

A vida de Devi impactou de tal maneira a minha que, em nossa casa, brincamos que existem duas eras: a.D. e d.D., isto é, "antes de Devi" e "depois de Devi". Fui muito tocada quando ouvi pela primeira vez uma ministração sua, mas foi no convívio e na amizade sincera que testemunhei a aplicação prática dos princípios ensinados neste livro. Isso me despertou para buscar viver da forma que essa mulher de Deus orienta.

Estar com Devi dentro e fora do lar me fez perceber sua coerência de vida. Ela vive o que prega. Também desejo isto para mim e para quem eu amo: uma vida particular tão relevante quanto a pública.

Tenho testemunhado que Devi é uma mulher virtuosa, fiel no uso dos talentos que Deus lhe confiou. Quem aprende com ela é abençoado, por colher e experimentar o precioso fruto de sua experiência e de seu conhecimento.

Mais ainda, ela nos transmite fé, desafiando-nos a aprender e crescer como indivíduos e famílias. Um de seus principais propósitos de vida é cumprir o que Paulo escreveu: "Semelhantemente, as mulheres mais velhas devem viver de modo digno. [...] Devem instruir as mulheres mais jovens a amar o marido e os filhos, a viver com sabedoria e pureza, a trabalhar no lar, a fazer o bem e a ser submissas ao marido. Assim, não envergonharão a palavra de Deus" (Tt 2.3-5).

Esta obra traça uma rota clara, excelente e atual como um GPS. Com a direção do Espírito Santo e os ensinamentos compartilhados nas páginas a seguir, tenho fé que você viverá uma vida abundante! Quem não deseja passar por melhorias concretas e mudanças definitivas na jornada rumo à realização dos sonhos? Para isso, existem princípios a ser cumpridos, como a leitura deste livro demonstrará com clareza. Os ensinamentos desta obra me tocaram profundamente e sinto-me entusiasmada por saber que você será alcançada também.

Obrigada, Devi!

Laudjane Veloso
Pastora na Igreja Batista Filadélfia de Taguatinga (DF)

Introdução

A altitude do avião aumentava e eu havia reclinado a poltrona para ler um novo livro que havia chamado minha atenção na livraria do aeroporto: *10 Stupid Things Women Do to Mess Up their Lives* ("Dez coisas estúpidas que as mulheres fazem para sabotar a própria vida"). Como de costume, comecei pela leitura do sumário, que revelava quais eram essas dez coisas estúpidas. "Sim", pensei, "a maioria das pessoas consegue elencar uma lista de fracassos pessoais, e não será muito diferente desta."

Não é difícil identificar as escolhas tolas que nos levaram ao fracasso, à infelicidade, à decepção e à frustração. Foi quando pensei: "E se eu listar escolhas inteligentes que podem levar a uma vida realizada?". Olhei pela janela e contemplei nossa subida para além das nuvens. Imediatamente, um pensamento veio à minha mente: *precisamos nos erguer acima das nuvens*, isto é, *fazer escolhas inteligentes*! Peguei papel e caneta o mais rápido que pude e comecei a escrever. Este livro traz conclusões que começaram naquele momento.

Se sua experiência de vida tem sido cheia de caos, medo, rejeição e desilusão, às vezes é difícil conduzir mudanças, pois o sofrimento é tudo que você conhece. Por isso, pensei que, se eu escrevesse sobre decisões positivas que você pode tomar, criaria diretrizes que lhe seriam úteis — algo real, verdadeiro e tangível. Trata-se de uma lista de possibilidades que fazem diferença drástica em sua realidade presente e futura. Não dá para mudar o passado, mas você pode criar um novo hoje e um novo amanhã.

Meses depois daquele voo, após pesquisar e discernir verdades bíblicas, consegui embasar a lista que começara a rascunhar enquanto eu planava acima das nuvens. Essa lista deu origem a uma série de palestras ou sermões, que geraram milhares de CDs com o áudio dessas ministrações. Escrever em livro esses princípios essenciais para você é um grande privilégio. Os livros sempre estarão conosco e transcenderão esta geração, ao passo que os CDs estão praticamente ultrapassados — e quem sabe o que virá após os *downloads*?

Fico empolgada em pensar que este livro levará você a fazer escolhas mais conscientes. O que me anima ainda mais é saber que terá êxito ao pôr essas escolhas em prática. Prossiga na jornada, olhe para cima e estenda a mão aos outros! Aprenda. Aceite. Aplique. E viva!

1
Escolha perdoar

A primeira escolha inteligente que você pode fazer para ter uma vida abundante, e melhor a cada dia, é a de perdoar. Estou convencida de que, lamentavelmente, a maioria das cristãs não entende exatamente o que isso significa, pois elas creem que estender perdão é deixar para lá o mal que nos fizeram. Porém, o perdão não faz o mal sofrido tornar-se certo, ele continua sendo errado, o que o perdão faz é remover esse mal do coração.

Na Bíblia, o perdão é apresentado como o cancelamento de uma dívida. Se você deve algo, é porque pegou o que não lhe pertencia e ainda não efetuou o pagamento. Já parou para pensar por que paga a conta de luz todo mês? Você o faz porque a eletricidade que chega à sua casa não é sua, é da companhia elétrica, que lhe cede mediante pagamento. Se você usa a eletricidade e não paga por ela, fica em débito com a empresa. A partir daí, tem duas formas de se livrar da dívida: ou paga a conta ou espera que a companhia elétrica seja misericordiosa e cancele a dívida. Se ela cancelar, você recebeu perdão.

Geralmente, aqueles que nos ofendem são os que estão mais próximos de nós, como o marido, o noivo, o namorado, o pai, a mãe, um colega de trabalho ou um sócio. A primeira ofensa costumamos relevar, mas ficamos profundamente incomodadas quando ela se repete, vez após vez. Nessas horas, você pensa: "Quanto disso consigo suportar?". Há momentos em que temos de dar um basta, como no caso de abuso sexual, moral ou emocional. É doloroso, mas precisamos reconhecer que o cristianismo evangélico fundamentalista tem ensinado o perdão e a submissão feminina de maneira equivocada e, por isso, tem aprisionado as mulheres em relacionamentos extremamente prejudiciais.

Não estou defendendo o divórcio ou a rebelião feminista. Nada disso. O que quero dizer é que chega um momento em que a ofensa se torna tão prejudicial que o amor nos leva a dizer: "Eu não posso permitir que você faça isso comigo, porque eu o amo, mas também me amo. Portanto, devo tomar uma atitude, em amor. No entanto, eu o perdoo e o libero da culpa pelo mal que me fez". Entenda que não estou falando em liberar-se do casamento, mas, sim, em liberar aquela pessoa da dívida que tem com você.

Em certa ocasião, o apóstolo Pedro foi até Jesus e indagou: "Senhor, quantas vezes devo perdoar alguém que peca contra mim? Sete vezes?" (Mt 18.21) Jesus respondeu: "Não sete vezes, mas setenta vezes sete" (v. 22). Pense matematicamente: isso equivale a 490 vezes! Você pode chegar a esse ponto se for casada com um homem dominado pela ira, que a magoa e ofende várias vezes por dia. Mas Jesus não estava atendo-se a um número. O que ele quis dizer é que devemos perdoar indefinidamente, sempre. Não há um limite para o perdão. A realidade bíblica é que você não tem o direito de não perdoar.

Não há um limite para o perdão. A realidade bíblica é que você não tem o direito de não perdoar.

Logo depois de dar essa resposta, Jesus contou uma parábola para explicar melhor o que estava querendo dizer. Ele comparou o reino dos céus a um rei que desejava acertar as contas com seus servos. O primeiro devedor tinha uma dívida com o monarca de sessenta milhões de moedas, o equivalente a dez milhões de dólares em prata. Era uma enorme quantia de dinheiro. O soberano exigiu, então, que lhe fosse pago o que era devido. Porém, como não tinha condições de pagar, aquele homem recebeu a informação de que ele, sua mulher, seus filhos e tudo o que possuía seriam vendidos para quitar a dívida.

A única reação possível daquele servo era implorar por misericórdia. E foi o que ele fez: "Por favor, tenha paciência comigo, e eu pagarei tudo" (v. 26). O que aconteceu? O rei teve compaixão daquele homem e perdoou sua dívida. De dez milhões de dólares!

Assim que a dívida foi perdoada, o servo saiu do palácio real e, em vez de demonstrar que havia aprendido uma preciosa lição sobre graça e misericórdia, procurou um amigo que lhe devia cem moedas de prata, o equivalente a cem dias de trabalho. Perceba que são dez milhões de dólares comparados com pouco mais de três meses de trabalho! O que aquele homem fez? Começou a sufocar o devedor e, com violência, a exigir o pagamento da dívida. Então seu companheiro se curvou e implorou que ele tivesse paciência, pois pagaria a dívida. O credor, porém, não estava disposto a esperar. Por essa razão, mandou lançá-lo na prisão, até que tivesse pagado tudo. Quando a falta de perdão é o que motiva as nossas palavras e ações, é incrível a capacidade que temos de fazer o mal.

Jesus foi bem realista ao contar essa história. Ele prosseguiu, apresentando uma realidade muito importante:

> Então o senhor chamou o homem cuja dívida ele havia perdoado e disse: "Servo mau! Eu perdoei sua imensa dívida porque você me implorou. Acaso não devia ter misericórdia de seu companheiro, como tive misericórdia de você?". E, irado, o senhor mandou o homem à prisão para ser torturado até que lhe pagasse toda a dívida.
> Assim também meu Pai celestial fará com vocês caso se recusem a perdoar de coração a seus irmãos.
> Mateus 18.32-35

Com essa parábola, Jesus deixou muito claro o que significa perdoar de acordo com os padrões bíblicos. Mais do que isso, ele mostrou o perigo de não perdoar.

O perigo de não perdoar

Para que compreendamos bem o significado do perdão bíblico, temos de entender o significado da falta de perdão. O "não perdão" começa com um machucado. Algo acontece — como uma palavra dura ou uma promessa não cumprida — e isso abre uma ferida legítima. Lembro-me de certa ocasião em que ocorreu algo em nossa equipe ministerial que me machucou profundamente. Eu sabia qual era a atitude correta a tomar, mas estava ferida e isso doía. Quando sofremos mágoas, muitas vezes reagimos com ofensas, pois dor gera dor. É aí que temos uma escolha a fazer, para não ficarmos amargas em relação à ofensa.

A primeira porta aberta para a amargura é a autopiedade. Esse sentimento dá acesso a toda sorte de emoções negativas.

Você pode sentir pena de si mesma por uma série de razões. Pode ser que tenha sido maltratada, mal compreendida, rejeitada, machucada ou o que for e, por isso, sinta pena de si mesma. Sei bem como funciona isso, porque aconteceu comigo quando houve um problema em minha equipe. Acabei sentindo pena de mim mesma.

Quando nos tornamos vítimas da autopiedade, remoemos eternamente o incidente. Pensamos sobre a dor. Repensamos. E pensamos de novo. O sentimento permanece em uma parte particular de nossa mente e é ampliado e realimentado, gerando o que chamamos de *ressentimento*. O ressentimento, por sua vez, tem a capacidade de fazê-la incorporar a amargura ao seu estado emocional. Com isso, a ofensa torna-se o primeiro passo para que se transforme em uma pessoa amargurada e cronicamente ressentida.

É interessante perceber que não há nada que se possa fazer a respeito do ofensor, pois o perdão tem a ver exclusivamente com *você*. Se eu me torno amarga como mulher, cadeias começam a me prender e a outra pessoa permanece em débito comigo. Ela lhe deve algo porque a machucou e, como ela não faz reparação alguma quanto ao mal que provocou, a ofensa se torna amargura. A amargura, por sua vez, leva ao ressentimento. Quando se dá conta, tornou-se escrava dessas más emoções.

Se alguém me perguntasse se já odiei alguém, eu lhe diria que não. Mas, se indagasse se já fiquei amarga em uma situação, eu precisaria admitir que sim. O interessante é que, se você olhar a palavra "ódio" no dicionário, verá que seu significado é muito parecido com o de "amargura". Ouso dizer que o ódio é a amargura em maior intensidade.

Nós testemunhamos esse ódio muitas vezes em sessões de aconselhamento para casais ou quando analisamos um tipo de comportamento provocado por atitudes dos pais. Quando dou aconselhamento a pessoas ressentidas dos pais desde a infância, o que pode acontecer é que, de tão amargurada com a mãe, por exemplo, a pessoa se torna parecida com ela, pois se prendeu à ofensa. Ou, se houve abuso sexual na infância, numa situação em que o agressor foi alguém do sexo masculino, a mulher cresce com medo ou raiva dos homens. Quando ela se casa, cheia de ressentimento, tem um enorme potencial interior de transformar esse estado de espírito em ódio. Ela passa a ter medo de que seu esposo a controle e abuse dela. Com isso, o casal começa a brigar e a discutir. E, claro, ela acha que está sempre certa! O que é interessante sobre a falta de perdão é que, como você acha que está sempre certa, sente-se justificada.

Quando não perdoamos, ficamos presas a um ciclo, em que o ofendido se torna o ofensor. Pessoas feridas ferem pessoas. O que acontece quando amargura se transforma em ódio é que o ódio sempre quer se vingar.

O fato de que um parente abusou de você não a faz má ou errada. O fato de que sua mãe era controladora não quer dizer que você tenha má índole. Quando não perdoamos, ficamos presas a um ciclo, em que o ofendido se torna o ofensor. Pessoas feridas ferem pessoas. O que acontece quando amargura se transforma em ódio é que o ódio sempre quer se vingar.

Nenhuma de nós pretende ser uma pessoa vingativa, mas não há como deixarmos de ser afetadas por aquilo que vivemos. A menina que tinha uma mãe controladora e que sofreu abuso de um parente tem grande potencial de ser uma esposa amargurada e briguenta caso não perdoe, pois passará a se comportar de acordo com essa bagagem.

Essa é a razão de mulheres cristãs muitas vezes entregarem a vida a Cristo, mas, ainda assim, não se sentirem livres. Elas estão presas a uma dívida que nunca será paga. Deixe-me perguntar: o que lhe estão devendo? É um pedido de desculpas? É por esse pedido que você espera há uma década? Talvez pense algo como: "Se ele pelo menos dissesse que sente muito..." ou "Se ela pelo menos me telefonasse e dissesse que não devia ter dito aquilo...". É possível que ainda espere o reconhecimento do erro que cometeram. Talvez ainda dependa de uma resposta mais sensível de seu marido. Talvez a dívida que a aprisiona seja a espera angustiante e eterna por palavras de afirmação.

Certa vez, conversei com uma jovem que tinha uma família, aparentemente, maravilhosa. Eu pensava assim, até que ela me disse: "Meu pai não me dá a atenção que dá aos meus irmãos. Ele vai a todos os eventos esportivos deles, mas não vai a nenhum dos meus concertos". Eu a encorajei a não aguardar o pagamento da dívida de seu pai, mas a liberá-lo dela. Porque, se você não perdoa, não apenas fica presa àqueles a quem não está perdoando, mas os prende também. O perdão faz com que não apenas você fique livre, mas eles fiquem livres para se desenvolver, aprender, mudar e se tornarem melhores.

O perdão é absolutamente poderoso. Se não perdoamos, ficamos eternamente presas ao desejo de vingança. A vingança, por sua vez, busca ofender. É um ciclo sem fim! Você consegue ver aonde ele nos leva? Precisamos liberar nosso ofensor da dívida que contraiu conosco, e com urgência.

Perdão e inteligência emocional

Como você libera alguém de uma dívida? Pode parecer simples demais, mas a realidade é que tudo o que precisa fazer é dizer: "Você não me deve mais nada". Não é necessário consertar o problema. Você não controla os outros em relação à ofensa que lhe fazem, mas é responsável por não ficar ofendida.

É importante que perceba que perdão não tem a ver com o que é certo ou errado, tampouco com decidir quem está certo ou errado. Perdão tem a ver com *a dívida*. É prender alguém a você, ou alguém prender você a ele, condicionando a liberdade ao pagamento da dívida.

Superar as dificuldades relacionadas ao perdão é uma atitude que precisa ser desenvolvida desde os primeiros estágios da vida, ainda na infância. Se você é mãe, cuide de seus filhos com isso em mente. Desde o tempo em que as crianças aprendem a engatinhar, a força de sua inteligência emocional já está em formação. A ciência mostra que estamos investindo muito esforço e energia no desenvolvimento do intelecto de nossos filhos, pois, em nossa sociedade, mensuramos o valor de uma pessoa pelo nível de inteligência que ela tem. Mas você pode ter um QI alto e, ainda assim, sofrer de falta ou fraqueza de inteligência emocional.

Você pode ter um QI baixo ou moderado e ser bem-sucedida na vida. E isso se dá porque a verdadeira inteligência está relacionada não apenas com o intelecto, mas com o equilíbrio das emoções. Por muitas décadas, temos visto a primazia da valorização do QI, mas, se formos analisar com atenção as palavras de Jesus, veremos que a ênfase dele não foi nisso. A Palavra de Deus nos ensina que devemos renovar a mente e, também, entregar o coração a Deus. Quando fazemos isso, tal decisão afeta toda a nossa vida.

Digamos que, desde criança, você lide com profundos sentimentos negativos. É capaz de identificar essa realidade, porém, sem conseguir sentir-se livre do peso dela. Se é o caso, talvez a sua inteligência emocional tenha se desenvolvido menos do que deveria. Quando a criança está aprendendo a engatinhar, a mãe superprotetora que logo pega a criança e não permite que ela experimente e se arrisque acaba criando um filho emocionalmente fraco em comparação com a mãe que a deixa mais solta. Se a mãe vê que a criança vai em direção a algo que a possa machucar e diz "não", o que ela está fazendo é fortalecendo o entendimento de que interrupções acontecem na vida. Com isso, a criança cresce sabendo lidar melhor com frustrações.

Quando uma mãe superprotetora não permite que o filho se arrisque e lhe dá tudo de bandeja ou remove todos os obstáculos, sem dizer "não" à criança, aquele ser humano cresce emocionalmente fraco. Quando frustrações acontecerem, ele vai sucumbir, gritar, espernear — até mesmo quando adulto! Tais pessoas não sabem como reagir. E tudo isso vem da inteligência emocional.

Erros hereditários

Outra área em que devemos ficar livres mediante o perdão é a dos erros hereditários, isto é, comportamentos equivocados transmitidos a você por sua família em razão da convivência. Toda família possui seus erros hereditários, até mesmo as mais piedosas.

Esse fenômeno funciona mais ou menos assim: se uma árvore cresce em uma direção por um período suficiente de tempo, ela acabará ganhando uma forma torta e permanecerá torta pelo resto da vida. Seu tronco se solidificará na posição errada. De modo análogo, você será afetada de determinadas maneiras, dependendo de sua condição, do ambiente, do tipo de linguagem que usa quando está crescendo e da maneira como lida com os conflitos. Se deseja mudar isso, você deve identificar onde está o erro. Isso de modo algum significa criticar seus pais ou sua família. É, simplesmente, ser honesto com relação a uma forma de vida que, em certo sentido, ajudou a moldá-la de maneira não muito saudável.

Quando comecei a entender essa realidade, percebi que eu tinha um jeito disfuncional de lidar com conflitos. O relacionamento entre mãe e filha é maravilhoso, bonito e íntimo, mas a forma como minha mãe lidava com conflitos não era construtivo e eu acabei absorvendo seu modo de ser, replicando um erro hereditário. Para começar, minha mãe não entrava em atritos. Sempre que se via em uma situação conflituosa, ela ficava quieta. E, se estivesse errada, não conversava sobre o que aconteceu, mas tentava assumir uma postura agradável, para conquistar quem estivesse envolvido no problema.

Muitos anos depois, eu me dei conta de que era exatamente o que eu fazia. Quando eu sabia que estava errada, não resolvia, dizendo algo como: "Eu sinto muito, pois me comportei de modo insensível e acabei fazendo isso". Minha atitude era ir ao Senhor em oração e dizer-lhe: "Pai, eu sinto muito. Como sou boba. Fui insensível e respondi daquela forma. Quero compensar meu erro e, por essa razão, da próxima vez que me encontrar com aquela pessoa serei realmente legal e lhe comprarei um presente!". Isso era exatamente o que minha mãe fazia! Imagine que loucura: um dia alguém a ofende e, no dia seguinte, fica legal e aparece com um presente. Como você se sentiria? Obviamente, o erro hereditário vai muito além de tentar se comportar de maneira mais agradável com as pessoas com quem você errou, mas esse tipo de pecado é muito real e traz limitações à nossa vida.

Aconselhei certa vez um casal que enfrentava problemas sérios na vida conjugal em decorrência de erros hereditários. A moça era filha de uma mãe controladora e se casou para fugir de seu jugo. Por essa razão, ficou grávida de propósito e o jovem rapaz que a engravidou escolheu se casar com ela. Dez anos depois, quando chegaram a mim em busca de aconselhamento, o marido estava pronto para o divórcio. Ele desabafou: "Estou cansado da dominação que ela exerce, de sua manipulação, de seu controle. Ela me põe para baixo como homem. Eu não tenho voz na família. E eu não aguentarei isso por muito tempo".

O que aconteceu é que aquela mulher se tornou igual à mãe. Já dera sinais de que seria assim quando ficou grávida de propósito, usando de manipulação para alcançar seus objetivos. Quando ela sentou comigo no gabinete, reconheceu: "Ele está certo. É exatamente desse jeito que me comporto. Odeio isso, mas não sei como mudar. Eu odiava essa atitude de minha mãe e odeio isso em mim". O que aconteceu? O ódio completou um ciclo e, pela falta de perdão, tornou-se ressentimento. Com isso, o ofendido se tornou o ofensor. Havia um erro hereditário.

É como se nossa vida fosse uma corda que, a cada erro absorvido, ganhasse um nó. Muita gente tem tantas áreas da vida submetidas a problemas sem perdão que acaba totalmente embolada. Há uma grande quantidade de sentimentos e comportamentos não bíblicos que você deve considerar: raiva, fofoca, preconceito, amargura, julgamento, orgulho, medo, agressão física e abuso verbal, entre outros. Se você cresceu com pais que expressavam raiva verbal e duramente, provavelmente será tentada a isso também. Se você cresceu com pais que gritavam, provavelmente é uma mãe que grita também. E não queremos continuar com isso. Como desatamos esses nós?

Eu fui à minha mãe e lhe disse: "Mãe, preciso ensinar essa questão às mulheres, porque é uma verdade que Deus me mostrou, mas não quero que isso afete a sua reputação. Não quero usar essa ilustração publicamente, pois, se você ouvir a pregação, provavelmente não se sentirá honrada. Eu quero honrá-la". Minha iniciativa teve um resultado maravilhoso, pois minha mãe nunca havia visto seu comportamento por essa perspectiva. Com minha atitude, eu não só quebrei aquilo na minha vida, mas criei a oportunidade para que ela quebrasse na dela também.

É como se nossa vida fosse uma corda que, a cada erro absorvido, ganhasse um nó. Muita gente tem tantas áreas da vida submetidas a problemas sem perdão que acaba totalmente embolada.

Minha atitude não deve ser tomada como regra. O fato de eu ter feito o que fiz não significa que você tenha de ir à sua mãe falar coisas desse tipo. Você pode entregar o problema a

Deus, porque ele tem o poder de curar e fazer o que deseja para sanar o mal.

Essa questão nos leva a outra reflexão: o que dizer a respeito da dívida que *você* tem com alguém? É muito mais fácil para nós falar dos outros. Mas deixe-me perguntar: você deve desculpas a alguém? Será que você tem uma dívida com alguém da qual precisa se libertar? O que você precisa fazer é pagar o máximo possível dessa dívida. E, depois de pagar o que você pode, pedir à pessoa para liberá-la. É disso que você precisa.

Pode ser que você sofra hoje de uma dor que teve sua origem na infância. Algo muito doloroso pode ter acontecido, em um nível muito profundo, e você ainda carrega as feridas, sem saber como se livrar do sofrimento. Sabe o que precisa fazer? Declarar a dívida como totalmente paga. Assumir para si e para Deus que a pessoa que causou o dano não lhe deve mais nada. E lembre-se de que, quando uma dívida é totalmente paga, você não fica enviando cobranças.

Ao estender esse perdão, você será libertada. Haverá uma total libertação dos seus sentimentos, o que afetará seus relacionamentos, suas responsabilidades e até sua forma de falar. Essa transformação abrirá seu emocional para que você seja capaz, inclusive, de se aprofundar em novas dimensões da fé. Cancelar a dívida significa liberdade!

Quando perdoamos, o poder de Deus é liberado para nos transformar ou para nos tocar naquilo de que mais necessitamos. Nós precisamos de ajuda em nossas emoções. Precisamos de força. Precisamos do poder do Espírito Santo para fazer-nos crescer em inteligência emocional, a fim de que não façamos escolhas tolas, que bagunçarão a nossa vida. Deus pode nos ajudar a fazer a melhor escolha. E a melhor escolha é sempre a de perdoar as dívidas que nosso próximo tem conosco.

– **Vamos orar** –

Pai, eu escolho perdoar. Peço-te que este seja o primeiro passo para que eu consiga me libertar totalmente das ofensas que sofri, de cada dívida que me é devida. Dá-me, ainda, coragem para enfrentar as dificuldades que me impedem de pagar as dívidas que contraí com quem ofendi. Pai, perdoa as minhas dívidas, assim como eu perdoo aqueles que me devem. Assim, poderei ser plenamente livre.

Em nome de Jesus eu oro. Amém.

2
Escolha baixar a guarda

A segunda escolha sábia que você pode fazer para viver de forma plena e abundante é a de baixar a guarda. Ao longo da vida, levantamos um escudo emocional e psicológico que tem como objetivo nos proteger de situações com potencial de nos ferir de algum modo. Na verdade, em alguns casos, nós criamos proteções tão vigorosas que parece que levantamos não escudos, mas muralhas. Ao fazê-lo, adotamos postura defensiva por uma razão positiva: nos proteger. Mas as consequências podem ser bem negativas.

Nos tempos do Antigo Testamento, as pessoas construíam fortalezas para guardar as cidades dos inimigos. Nós, hoje, fazemos algo similar nos planos emocional e psicológico, construindo fortalezas para nos proteger de ataques relacionais. No que se refere a relacionamentos, sejam eles profissionais, conjugais, afetivos ou familiares, com constância passaremos por experiências negativas, nas quais haverá ataques; logo, um agressor. Muitas vezes, você será a agressora e, em outras, a agredida. Se você desenvolve uma natureza defensiva, se fechará a muitas experiências que contribuem para o crescimento e o desenvolvimento do indivíduo. Por essa razão, temos de aprender a lidar com um agressor ou com um ataque sem construir uma muralha emocional ou psicológica.

Nos tempos bíblicos havia duas formas de se construir uma fortaleza. Uma era erguer uma estrutura temporária, a fim de defender um lugar em face de um conflito iminente. De igual modo, quando há tensão e atrito em nossos relacionamentos, temos a tendência de nos resguardar erigindo proteções mentais. Quando você sente que um ataque está para acontecer, já se põe em postura defensiva e levanta a guarda.

A segunda forma de fortificação eram as permanentes, feitas de terra e pedras empilhadas. Eram construídas durante períodos de paz, a fim de oferecer proteção preventiva contra eventuais ataques dos inimigos. De maneira análoga, em nossa vida carregamos a bagagem de um passado muitas vezes doloroso, que empilhamos ao nosso redor com o intuito de nos resguardar de possíveis dores.

Quando há tensão e atrito em nossos relacionamentos, temos a tendência de nos resguardar erigindo proteções mentais. Quando você sente que um ataque está para acontecer, já se põe em postura defensiva e levanta a guarda.

Assim, levantamos ao redor dois tipos de defesas: as temporárias, aquelas que servem para reagir a alguma situação imediata potencialmente dolorosa, e as permanentes, que erguemos em tempo de paz, motivadas pelo ressentimento causado pelo último ataque que experimentamos. Essas muralhas são construídas para que não soframos novos machucados.

Assim, se, por exemplo, você foi traída por uma amiga de muitos anos, que contou os seus segredos a alguém e isso lhe causou grande dor, pode ser que desenvolva a tendência de se proteger de novos eventos como esse dificultando a aproximação de pessoas que desejem criar vínculos verdadeiros e amorosos de amizade. Essa muralha pode vir sob a forma de frieza ou superficialidade, por exemplo.

Calejadas

Existem algumas causas mais comuns de feridas relacionais, como a rejeição, o desapontamento, a traição, o medo do fracasso e o constrangimento. Peguemos um exemplo. Você pode ter criado expectativas elevadas sobre o que sua mãe faria no seu aniversário e, de repente, a coisa não saiu como você idealizou. A data chega e sua mãe nem ao menos lhe telefona. Profundamente machucada, você toma a decisão de criar certa distância dela, a fim de não sofrer machucados futuros. Mas... seria essa a melhor solução? Fortalezas como essa são erguidas para nos preservar, mas acabam criando muitos problemas.

As feridas emocionais fazem com que fiquemos calejadas. Seguimos com a vida, sorrimos e ninguém sabe pelo que estamos passando. Aparentamos estar bem e vamos em frente. Se o seu marido repetidamente machucou seus sentimentos, criando um enorme desapontamento da sua parte, você cria uma muralha difícil de penetrar, a fim de não se decepcionar de novo. Mas pode ser que ele mude, que algo aconteça com seu marido — um choque, um impacto, o toque do Espírito Santo — e talvez ele perceba que precisa desenvolver mais sensibilidade para lidar de forma apropriada com você. Não é o que você sempre desejou? Depois de anos de feridas, críticas e insensibilidade, ele quer, finalmente, mudar! Então, ele vai até você e diz: "Eu sinto muito que isso tenha acontecido entre nós. Eu a tratei de forma insensível. Quero que as coisas mudem para melhor". Magoada, calejada e protegida, você pensa: "Que bom, fico feliz, mas não confio nele". Aquele homem seguiu um padrão durante anos, e, de repente, se apresenta de outra forma. Lamentavelmente, você, a essa altura, se tornou dura, represada, contida nas demonstrações de amor.

O coração guarda tudo, seja bom, seja mau. Por isso, acaba levando o indivíduo a assumir uma posição defensiva. Para se proteger do sofrimento causado por situações ligadas ao relacionamento, muitas mulheres erguem muralhas emocionais, que as protegem, de fato, mas as isolam e as lançam numa vida solitária.

Críticas são importantes e devemos valorizar as pessoas que nos criticam com amor, no intuito de nos fazer melhorar. Porém, quando a crítica é feita negativamente, de forma destrutiva, seu potencial de ferir é enorme. Quando você está constantemente sob o ataque de críticas maldosas, começa a se proteger, endurecendo o coração ou tornando-o cínico. Imagine que alguém chega até você e lhe diz: "Faz tempo que não a vejo! Você engordou um pouco, não?". A sua resposta cínica seria mais ou menos assim: "Você tem se olhado no espelho ultimamente, queridinha?". O cinismo se manifesta quando você pega a informação que lhe foi lançada e a devolve. Afinal, não queremos ouvir sobre nós mesmas o que é difícil, principalmente se nos for dito sem tato.

Lembro de certa ocasião em que ajudei a organizar um grande desfile de moda, para o qual eram esperadas novecentas mulheres. Donos das cinco principais butiques de nossa

> *Para se proteger do sofrimento causado por situações ligadas ao relacionamento, muitas mulheres erguem muralhas emocionais, que as protegem, de fato, mas as isolam e as lançam numa vida solitária.*

região tinham confirmado presença no evento. Treinei as belas modelos. Tínhamos telões de projeção. Tudo estava certo. Na hora do desfile, mostramos cem peças de roupa. Foi espetacular. Nunca tínhamos visto nada igual, mesmo em Nova York! Foi uma grande produção! O objetivo era ter contato com as mulheres da cidade e identificar como poderíamos alcançá-las. Ao fim do desfile, falei por quinze minutos sobre o amor de Deus.

Com base naquele evento, uma irmã querida de nossa igreja julgou que eu não era muito espiritual. Adivinhe o que ela fez? Começou a dizer para outras mulheres do nosso convívio quão mundano ela pensava ser aquele desfile. Meu marido e eu ficamos sabendo a respeito e Larry disse que talvez fosse melhor conversarmos com ela. Por essa razão, nos encontramos e ele lhe disse: "Você tem feito algumas críticas à Devi e creio que deve falar com ela sobre isso". Com certeza, naquele momento ela era a última pessoa com quem eu queria conversar. De qualquer forma, nos sentamos e ela começou a dizer quão carnal eu era, em sua opinião. Fiquei ouvindo. Uma das razões que aquela irmã mencionou para justificar sua ideia de que eu não era espiritual foi o fato de nunca ter ouvido eu falar sobre quanto eu oro. Eu expliquei que isso era pessoal, que eu gostava de estar a sós com o Senhor, em um momento muito íntimo.

Foi quando eu lhe disse: "Você sabe que a Bíblia diz que você conhecerá uma pessoa por meio de seus frutos?". Essa foi uma resposta defensiva e cheia de cinismo à crítica dela. Hoje, ao repassar esse fato na memória, mal consigo acreditar que respondi daquela forma, mas foi o que fiz, pois estava explodindo, criticada que estava sendo havia três anos por aquela mulher! Eu lhe disse, então: "As Escrituras dizem que você conhecerá uma pessoa por seus frutos. E eu comparo a minha cesta de frutos com a sua todos os dias".

Quando aquela senhora foi embora, meu marido me repreendeu: "Devi, você passou do ponto". Ele tinha razão. Mas é o que se pôr na defensiva faz. Aquela resposta não me tornou alguém mais certa ou errada; foi, simplesmente, uma resposta desnecessária, resultante da muralha que ergui ao meu redor no relacionamento com aquela irmã.

Em muitas feridas e críticas há elementos de verdade. E é à dor de abraçar a verdade que geralmente resistimos. Isso é o que mais dói. Até mesmo vindo de alguém que quer nos ajudar e nos ensinar algo importante. Mas, quando a guarda está levantada, alguém pode lhe dar uma instrução valiosa para a sua vida e você não aceitar, embora essa postura não sare a sua ferida.

Negação, justificativas e fingimento

Não há solução para o bloqueio emocional que criamos a fim de nos proteger a não ser que baixemos a guarda e nos tornemos vulneráveis à dor da ferida. Como cristãs, devemos sempre viver na verdade, pela verdade e para a verdade. Assim, devemos enfrentar a dor que for, sem ficar na defensiva o tempo inteiro. Até porque, no intuito de resolver a sua ferida, você pode se machucar muito mais.

Os machucados emocionais fazem com que, em situações potencialmente doloridas, você priorize se proteger de ser machucada, mesmo que isso a ponha em risco de se tornar amargurada e ser tomada por emoções negativas. A fim de resolver esse problema, você deve baixar a guarda e permitir-se sentir a dor, admitindo a verdade sobre si mesma.

Para resolver a sua dor, primeiro é preciso reconhecer que ela está lá, senti-la e admitir a verdade sobre você, mesmo que não queira. Segundo, é importante ser flexível, aberta e resiliente. Exponha-se ao aprendizado. Fraqueza é normal. Todas temos fortalezas e fraquezas, até mesmo a melhor pessoa que você conhece. Não é nenhum demérito, é um fato da vida.

Minha mãe sempre me disse: "O que há de errado em estar errada?". Isso é uma grande verdade. O que você teme? Por que precisa se defender de tudo? Será que a sua defesa é resultado de você não querer ouvir a verdade a seu respeito? Olhe no espelho. Aquela é quem você é! Muitas vezes, temos uma falsa percepção de nós mesmas. Por essa razão, se alguém tenta nos mostrar quem somos, mesmo com uma motivação negativa, ganhamos algo positivo. É o que acontece sempre que abraçamos a verdade.

Para resolver a sua dor, primeiro é preciso reconhecer que ela está lá, senti-la e admitir a verdade sobre você, mesmo que não queira. Segundo, é importante ser flexível, aberta e resiliente.

Quando você detectar uma fraqueza em si mesma, tente vê-la à luz do entendimento de que ela pode se tornar uma fortaleza. Qual poderia ser a fraqueza da confiança superestimada? Excesso de confiança. Você vê como isso funciona? O meio de vencermos esse mecanismo é alimentando a nossa fortaleza. Se, por exemplo, você quer ser honesta, mas a sua fraqueza é ser boa em mentir e manipular a verdade, a honestidade precisa ser fortalecida. Deus, por meio do Espírito Santo, a convencerá de que há algo errado e, de repente, você verá que precisa enfrentar essa questão. Não podemos combater os problemas por meio do ódio à desonestidade, mas, sim, pelo amor à honestidade.

Digamos que alguém falou algo a seu respeito e você não quer admitir que seja verdade. Se quiser trabalhar a sua fortaleza, você dirá: "Certo, vou amar a honestidade". Então, em vez de se defender, como fazia antes, você abraça a verdade. Quando se der conta, verá que a fortaleza e a fraqueza começarão a ser contrabalançadas. Respostas defensivas possuem três características principais: negação, justificativas e fingimento.

Quando você sofre uma ferida, talvez uma crítica, uma traição ou um desapontamento, a resposta defensiva por meio da negação gera individualidade e crise. No momento em que consegue identificar a ferida, você diz: "Como você pôde?" ou "Eu não posso falar sobre isso". O que você está fazendo é negar a resposta emocional, a fim de punir de forma passiva. Mas esse não é o caminho, pois não soluciona nada.

Outra forma de defesa são as justificativas. Você já esteve perto de uma pessoa que sempre dá desculpas para tudo? Ela diz: "Olha, eu não me atrasei por minha culpa, mas porque fulano...". Essa postura decorre de essa pessoa estar desconfortável, provavelmente porque foi tão atacada no passado que esse foi o meio que encontrou para lidar com as próprias fraquezas. Assim, por mais que tenha se atrasado por culpa dela própria, sempre se justificará — em geral, jogando a responsabilidade em cima de alguém. A resposta honesta seria: "Eu nunca estabeleci prioridades em minha vida com relação ao tempo".

Depois da negação e das justificativas, outra postura é abraçar o fingimento como estilo de vida. A pessoa finge que a ferida não dói e sua resposta defensiva é: "Eu não ligo". Ela ergue uma muralha para se proteger, pois sabe que as pessoas não têm bons pensamentos a seu respeito. Então, se protege, dizendo: "Não é grande coisa". O que se poderia esperar de uma pessoa como essa? Você já teve pensamentos como esses?

Fiquei maravilhada com uma moça que me contou como reagiu a uma correção de seu supervisor. Ela tinha o costume de partilhar sua fé com os clientes da empresa onde trabalhava. Seu supervisor a chamou e a corrigiu, dizendo que aquela atitude era inapropriada naquele ambiente. Em vez de ficar chateada e ter uma atitude reativa, ela disse: "Você está absolutamente certo. Estou feliz que tenha compartilhado a sua opinião comigo e ficarei atenta para não fazê-lo novamente". Percebe a diferença do impacto de uma resposta verdadeira em relação a uma defensiva em nossos relacionamentos profissionais?

> *Depois da negação e das justificativas, outra postura é abraçar o fingimento como estilo de vida. A pessoa finge que a ferida não dói e sua resposta defensiva é: "Eu não ligo". Ela ergue uma muralha para se proteger, pois sabe que as pessoas não têm bons pensamentos a seu respeito.*

Lembre-se de que as pessoas que machucaram você muitas vezes nem se deram conta de que o fizeram. Não estamos falando de alguém que a odeia, mas de gente próxima, como seus pais. Porém, a dor dos machucados fez com que você se tornasse uma pessoa defensiva, já que não quer ser ferida novamente.

Caminhos

Felizmente, há caminhos práticos para enfrentar a sua dor e, assim, baixar a guarda. Quando surge uma situação que potencialmente pode causar uma resposta defensiva da sua parte, em vez de dar uma resposta desse tipo, você pode seguir por outro caminho, dizendo, por exemplo: "Desculpe, pode repetir o que você acabou de dizer?". Se alguém a atacar com crítica e você responde com este tipo de resposta, de forma apropriada, sem resistir, isso tende a fazer o conflito acabar e você agirá de forma aberta e sob uma nova perspectiva.

Quem a atacar possivelmente refletirá melhor se você não agir com raiva. Ao abraçar a mansidão, você optou por baixar a guarda e, ao fazê-lo, torna-se aberta para ouvir a pessoa novamente. Você pode escolher a resposta que dará! Além disso, você pode dizer: "Eu não entendo realmente o que você está dizendo". Muitos dos ataques verbais são generalizações, e essa resposta ajudará a outra pessoa a especificar o que está sentindo, o que pode gerar uma mudança ou uma resposta.

Se você vai baixar a defesa e trabalhar a sua dor, tem de estar desejosa de experimentar um confronto. E não se preocupe, pois o confronto não necessariamente é algo negativo. O que nós fazemos com ele é que pode torná-lo negativo.

Algo importante é que, se você vai baixar a defesa e trabalhar a sua dor, tem de estar desejosa de experimentar um confronto. E não se preocupe, pois o confronto não necessariamente é algo negativo. O que nós fazemos com ele é que pode torná-lo negativo.

Outro caminho é dizer: "É isso, então?". Certa vez, Larry e eu estávamos no carro, tendo uma conversa profunda sobre nossa vida. Foi quando ele me disse algo muito difícil de ouvir. Eu pensei: "Meu Deus! Ele tem pensado nisso por trinta anos e nunca disse nada!". Confesso que foi difícil para mim pensar que eu era do jeito que meu marido havia mencionado. Se ele me houvesse dito antes, eu teria mudado! Comecei a perceber que havia alguma coisa em mim que deveria ser trabalhada.

Tempos depois, indaguei: "Eu sou realmente assim?". Em vez de dar respostas defensivas como: "Você está absolutamente errado!" ou "Eu tenho sido desse jeito porque não conheço outra forma de ser! É minha personalidade, meu temperamento!". perguntei: "Sério? O que você está me dizendo é verdade?". Ele pensou um instante e me disse: "Sabe de uma coisa? Não, você não é. Eu exagerei". Começamos, então, a conversar sobre o que estava exagerado naquele entendimento. Havia algo de verdade no que ele falou, mas a verdade foi dita de forma exagerada. Como resultado, eu o ajudei a trabalhar aquela percepção. Quando baixamos a nossa guarda, isso nos põe em um lugar de intimidade. Eu desejo a verdade e quero abraçá-la, seja ela qual for.

Outra forma de responder é: "Isso não faz sentido para mim". Essa afirmação possibilita que a outra pessoa expresse o conteúdo negativo de forma segura, o que, por sua vez, possibilita que você diga: "Penso que você está errado" em vez de dizer: "Você é um idiota! Não posso acreditar que está me dizendo isso de novo! Estamos batendo na mesma tecla vez após vez!". Em vez disso, você pode simplesmente dizer: "Sabe de uma coisa? Isso não está fazendo sentido para mim. Nossa conversa não está nos levando a lugar nenhum e não está fazendo sentido. Você poderia ser mais claro em relação aos seus sentimentos? Porque não estou conseguindo compreendê-lo". Isso a ajudará a derrubar a muralha entre vocês.

Há, ainda, outras formas de responder, com afirmações como: "Isso não me parece justo", "Eu não estou certa quanto ao que você está falando", "Não estou confortável com isso" ou "Estou com problemas para lidar com isso ou para aceitar essa realidade". Percebe de quantas opções você pode dispor em lugar de lançar mão das opções cínicas?

Se você deseja ser transformada, saindo do nível em que está agora e subindo a outro patamar, em que conseguirá parar de dar respostas defensivas, terá de abraçar seu verdadeiro eu, com o entendimento de que seu verdadeiro eu sente dor. A melhor coisa que você pode fazer é permitir que essa verdade venha à tona. Quando você o fizer, a verdade começará a libertá-la.

Lembre-se de que, em toda situação, você pode contar com o poder sobrenatural de Jesus Cristo. Quando você baixa a guarda, torna-se aberta a receber instrução, sabedoria e amor, desenvolvendo intimidade com ele. Todas essas virtudes e bênçãos que recebe lhe dão poder como pessoa. Você cresce e se torna emocional e espiritualmente forte. Você se ajusta mais ao plano de Deus para você como mulher. E, com o poder de Deus em sua vida, você pode ir além de qualquer esforço psicológico, rumo a uma vida sem muralhas nem subterfúgios, repleta de verdade e transbordante de relacionamentos abençoados e abençoadores.

– Vamos orar –

Pai, eu te amo de todo o meu coração. Quero receber teu amor e demonstrá-lo aos outros. Reconheço meu mecanismo de defesa para proteger meus sentimentos e emoções. Na maioria das vezes, tenho conseguido deixar a mágoa do lado de fora. No entanto, isso tem me tornado incapaz de vivenciar amor e intimidade em meus relacionamentos, em consequência de minhas estratégias de defesa.

Hoje, eu escolho baixar a guarda, a fim de poder te amar de novo de todo o coração. Também me abro para receber o amor dos outros. Compreendo o risco que existe ao fazer isso, mas confio em tua habilidade de me curar toda vez que for ferida.

Em nome de Jesus eu oro. Amém.

3
Escolha se amar

A Bíblia nos orienta a amar o próximo como a nós mesmas. Fica claro que, se não nos amamos, tornamo-nos incapazes de amar totalmente outra pessoa. Quando lidamos com a questão da autoestima e do amor-próprio, não importa quão maravilhoso nosso parceiro seja, nossa habilidade de dar e expressar amor reside na medida em que nos amamos. Então, para sermos pessoas amorosas e demonstrarmos amor para o marido e os filhos de forma construtiva e conectada, precisamos romper as barreiras ou as fortalezas que nos impedem de nos amarmos.

A autoestima está diretamente relacionada à autoconfiança, que tem a ver com senso de valor pessoal e respeito por si mesma. Muitas vezes, os equívocos em relação à autoconfiança surgem quando falamos coisas do tipo: "Eu me sentiria melhor sobre mim mesma *se...*". São pensamentos como: "Se eu pudesse mudar..."; "se eu pudesse ter mais dinheiro..."; "se eu tivesse um emprego melhor..."; "se eu vivesse em um ambiente diferente..."; "se eu fosse casada..."; "se eu tivesse um namorado..."; "se alguém me amasse..."; e "se as circunstâncias fossem diferentes...", que terminam com "... eu poderia me sentir melhor sobre mim mesma".

Essa mentalidade é equivocada, pois a autoestima positiva pode sobreviver no ambiente mais degradado possível. Além disso, ninguém consegue roubar o respeito por si próprio de uma pessoa que se respeita de forma sólida. Em outras palavras, o respeito próprio e a autoconfiança não repousam nas mãos de outra pessoa, mas nas suas escolhas pessoais.

Por outro lado, há questões que você não tem a capacidade de fazer acontecer, não importa quão determinada ou forte seja. Nossas capacidades têm suas limitações. É por isso que acreditamos no sobrenatural, que nos leva além dos limites humanos. Jesus pode ajudá-la a enfrentar qualquer situação, reconstruindo o que alguém destruiu.

Você precisa lembrar sempre que a autoconfiança não é competitiva nem comparativa. Em outras palavras, você não deve tentar parecer melhor ou ser superior aos outros, porque as demais pessoas não são a sua medida — *você* é. Não dependa de ninguém para sentir-se bem sobre si mesma. Porque, quando você não tem autoconfiança e perdeu todo o respeito próprio, internaliza o que falam de você e transforma isso em algo negativo. Com respeito próprio, alguém pode gritar na sua cara e você continuará confiante e segura, por saber quem você é.

> *O respeito próprio e a autoconfiança não repousam nas mãos de outra pessoa, mas nas suas escolhas pessoais.*

Há questões que você precisa saber a fim de construir autoconfiança, como veremos a seguir.

Consciência

Quem decide viver conscientemente se torna autoconfiante. Caso você tenha uma autoimagem negativa, é possível que tenha feito uma série de escolhas erradas e, em decorrência disso, perdido o respeito por si mesma. Uma das formas de sair disso é escolher viver de forma consciente.

O que isso significa? Enfrentar os fatos. Muitas vezes nós lidamos com situações que nos deixam confusas, sem querer encarar os problemas, porque será muito dolorido. É como se deixássemos para lá. Escolhemos não enxergar as dificuldades, não queremos admiti-las ou enfrentá-las. Responda sinceramente: esse tipo de postura ajuda em seus relacionamentos?

Viver de forma consciente nos leva a outro nível de responsabilidade. E, quando você vive responsavelmente acerca de qualquer assunto, inclusive no que se refere a suas faltas e fraquezas, é capaz de dizer: "Eu não fiz direito o que deveria. Aquela tarefa era minha responsabilidade. Vou tentar fazer melhor da próxima vez". Quando agimos desse modo, escapamos de confrontos e podemos nos sentir libertas e aliviadas.

Eu não sei o que em sua vida é difícil de enfrentar acerca de si mesma, mas o primeiro passo para que construa sua autoestima é ver a verdade e falar sobre ela. Acredite, é o que há de mais libertador!

Porém, se agimos na defensiva e damos desculpas, tentando culpar os outros, fazendo de tudo para nos retirar dos problemas, acabamos nos sentindo mal em relação a nós mesmas.

Viver conscientemente é uma escolha que você faz para encarar os fatos. Eu não sei o que em sua vida é difícil de enfrentar acerca de si mesma, mas o primeiro passo para que construa sua autoestima é ver a verdade e falar sobre ela. Acredite, é o que há de mais libertador!

Nesse intuito, é preciso escolher conhecer e respeitar os fatos, isto é, encarar a realidade. Há áreas sobre as quais devemos optar por tomar conhecimento. Se há fatos e questões em sua vida que você decide evitar, porque não quer assumir a responsabilidade sobre eles, é importante mudar esse tipo de comportamento e ficar ciente de tudo o que acontece ao seu redor e com você.

Nesse sentido, esteja atenta às suas atitudes. Quero que você pense em sua rotina semanal e a enfrente de forma consciente. Veja o que está acontecendo, em quais pontos você é boa e em quais não é. Também é fundamental examinar suas motivações e refletir sobre por que está realizando tais atividades. Por que você faz aquilo que faz? Se você vai ao clube toda semana, por que ama o clube e odeia o trabalho doméstico? A resposta a esse tipo de questionamento revela o que é importante para você e o que é essencial para a sua vida. O que você valoriza mais?

Não quero que você gaste a vida em uma profissão que odeia, por exemplo. Você pode mudar de ambiente, e o poder de Deus lhe dará a vontade de tomar iniciativas. Às vezes, sabemos que devemos e podemos empreender mudanças, mas não temos a motivação para fazê-lo. Só que a dor de permanecer do mesmo jeito é maior que a dor da mudança! Se você quer mudar, enfrente a situação! Encare os fatos e abrace a realidade.

Existe uma diferença grande entre meta e desejo. Aprendi isso com a minha avó. Ela me contava que, em certa ocasião, quando ainda era criança, sua professora pediu aos alunos que escrevessem uma meta, isto é, algo que desejavam conquistar. Minha avó escreveu que desejava ser *Miss* América. A professora lhe disse que aquilo não era uma meta, mas, sim, um desejo, algo que você quer fazer, mas que requer a participação de outras pessoas para que você o realize. Então, para ser *Miss* América, ela poderia ensaiar, planejar, se preparar e vencer todas as competições que viriam, mas não poderia conquistar o primeiro lugar sem que os juízes votassem nela.

Um desejo requer que outras pessoas estejam envolvidas, mas uma meta pode ser alcançada por conta própria. Assim, viver de forma consciente envolve estabelecer metas, e isso é algo que você pode fazer sem ninguém mais estar envolvido. Por exemplo, se você diz: "Eu quero criar uma família que honre a Deus", isso é um desejo, não uma meta, pois você não pode controlar o coração de seus filhos. Mas é totalmente possível que você diga: "Eu quero ser uma mulher que honre a Deus". Isso sim é uma meta! Você pode alcançar esse estágio sem o envolvimento de mais ninguém.

Então, defina os seus desejos, mas viva de forma consciente em relação às suas metas.

Autoaceitação

O segundo bloco de construção para solidificar sua autoconfiança é aceitar a si mesma como você é. Quando Deus olha para você, ele vê suas fraquezas e falhas, seus pecados, sua falta de gentileza, os abusos que sofreu e a sua dor. Deus anteviu tudo isso e pagou um alto preço para levá-la ao ponto de aceitar quem você é. Lembre-se: Jesus deu a sua vida por você. E, se ele a aceita, você também precisa se aceitar.

Autoaceitação é uma pré-condição para a mudança. Você nunca mudará nem crescerá além do ponto em que está como pessoa até que possa aceitar quem você é. Isso é libertador, acredite. Aceite a si mesma do jeito que estiver. Você é uma dona de casa bagunceira, por exemplo? É difícil para você convidar pessoas para irem à sua residência? Talvez haja razões para você sofrer ao pensar que teria de arrumar a sua casa. É possível que nunca tenha vivido em um ambiente que fosse bem cuidado, ou talvez não conheça o meio para tentar colocar algum tipo de ordem no local em que vive. Não há nada de errado em relação a isso.

Você pode aceitar esse fato e viver de forma consciente. E quando o fizer, adivinhe o que acontecerá? Você não precisará esconder a realidade, mas poderá, por exemplo, convidar alguém para ajudá-la. As Escrituras dizem que as mulheres mais velhas devem ensinar as mais novas a cuidar de sua casa, a amar o marido e os filhos. Mas, se não aceitamos os fatos, então nos vemos obrigadas a escondê-los. Enfrentar o fato, mediante a autoaceitação, é o começo — ou a pré-condição — para a mudança. Você não precisa gostar de uma coisa no intuito de aceitá-la. Lembre-se de que aceitar não significa aprovar. Isso apenas significa que você está consciente em relação a ela.

Enfrentar o fato, mediante a autoaceitação, é o começo — ou a pré-condição — para a mudança. Você não precisa gostar de uma coisa no intuito de aceitá-la. Lembre-se de que aceitar não significa aprovar. Isso apenas significa que você está consciente em relação a ela.

A autoaceitação tira você de um estado de negação e desarma aquele que a critica, seja seu marido, seja sua mãe. Talvez haja uma reclamação constante e crônica a seu respeito e o que você precisa fazer agora é parar de negar a realidade, encará-la e admitir: "Isso é verdade. Sou desse jeito. Não quero continuar assim para sempre". Tão logo você adota essa postura, ela desarma completamente aqueles que a criticam.

Essa atitude também faz o jogo de comparações acabar. A autoaceitação faz você parar de sentir como se sempre tivesse de se comparar a alguém. Deus criou você, por meio das leis da genética. Isso começou na origem dos tempos, quando ele estabeleceu a família no intuito de transmitir geneticamente a herança biológica de suas criaturas. Quando você se olha em um espelho e odeia o que vê, está se comparando com alguém que, em sua percepção, aparenta estar melhor e, com esse parâmetro em mente, estabelece sua medida. Com o que ou com quem você está se comparando? Porque aquilo que você pensa ser bom pode ser ruim para outra pessoa. Você pode tentar ser um tipo de mulher para conquistar um determinado homem, mas ele preferir outro tipo de mulher.

Não há por que se comparar, pois você não tem nada com que se comparar. Deus a criou de um jeito amável, maravilhoso e único. Você é, literalmente, incomparável. Não importa se seu nariz é grande ou pequeno, Deus a concebeu e criou com uma combinação de elementos que são fruto de nossa história genética. Assim, temos de nos olhar no espelho com um novo senso de apreciação e dizer: "Deus, eu aceito a forma como tu me criaste".

Responsabilidade

O terceiro elemento necessário para construir a sua autoconfiança é a responsabilidade. É tornar-se responsável a ponto de assumir seus ônus e parar de culpar as outras pessoas. Assuma a responsabilidade, pois você é responsável por suas escolhas e ações, seu tempo e suas prioridades.

O tempo que gastamos está diretamente relacionado ao que é mais importante aos nossos olhos. E você é a única que controla isso. Você pode dizer: "Quero me envolver mais com a igreja, com as coisas de Deus, mas não tenho tempo". Isso pode ser verdade de acordo com a lista de prioridades que você tem agora. Mas nada impede que mude a ordem das coisas. Talvez precise desistir de algo no intuito de reorganizar o que é realmente importante para você.

A realidade é que você pode fazer qualquer coisa que deseje, dependendo do que está disposta a abrir mão. Você deseja ir à Europa nas férias? Você pode! Mas, para isso, precisará fazer alguns ajustes no modo como gasta seu dinheiro, talvez pegando menos táxi e andando mais de ônibus. Isso dependerá, claro, do que é importante para você, de qual tipo de ajuste você precisará fazer para atingir seu objetivo. Você tem a responsabilidade, portanto viva de modo responsável!

Você é responsável, também, pela forma como conduz seu trabalho. Poucas coisas nos preenchem tanto quanto fazer algo da melhor forma possível. Realize seu trabalho como se fosse um louvor a Deus. Quando você faz o seu melhor, há um senso de completude.

Poucas coisas nos preenchem tanto quanto fazer algo da melhor forma possível. Realize seu trabalho como se fosse um louvor a Deus. Quando você faz o seu melhor, há um senso de completude.

Você também tem responsabilidade pelo cuidado com o seu corpo, pois ele é templo do Espírito Santo. Depois que Jesus foi crucificado e ressuscitou, Deus não habitou mais em tabernáculos, prédios ou altares. Você não precisa mais ir a certos lugares para experimentar a intimidade com o Espírito Santo, pois ele habita em nós. Quando vamos ao templo, a presença de Deus repousa ali porque ele segue conosco. E, quando vamos para casa, Deus também habita ali, porque ele vive em nós. Cuide do templo que é seu corpo. Não abuse dele. É nele que o Espírito Santo repousa e habita.

Há muitas áreas em que devemos assumir nossa responsabilidade. A história mais triste que posso pensar é a de um garotinho que disse, depois de sair de um restaurante: "Meu pai fala mais gentilmente com o garçom do que comigo". Que horror, que irresponsabilidade com os relacionamentos afetivos! Deixe-me perguntar: você fala mais gentilmente com os vizinhos, que moram em frente à sua casa, do que com seus filhos, que moram dentro da sua casa? Você é responsável por isso! E você pode mudar, pois Deus lhe deu toda capacidade de se controlar.

A sua responsabilidade individual se estende até mesmo à vida espiritual. Você é responsável por encontrar a verdade sobre sua natureza espiritual e sobre como isso a conecta com Deus. Ninguém mais pode fazer isso por você. É preciso buscar até achar a verdade, até encontrar o grupo de pessoas que podem ajudá-la a chegar ao conhecimento do que é bom e do que é mau. Se você faz boas escolhas em sua vida espiritual, torna-se mais forte, por meio do poder do Espírito, que é mais forte que qualquer homem. Ele pode operar mudanças em sua vida em um piscar de olhos, seja emocionalmente, seja fisicamente, de forma que nenhum psicólogo, psiquiatra, conselheiro, seminário ou mesmo este livro pode fazer por você.

Autenticidade

Ser autêntica significa viver sem fingimentos. Um dos maiores palestrantes cristãos da atualidade é Jack Hayford. Ele é mundialmente reconhecido e fala em todo tipo de conferência. Uma das características mais marcantes de Jack é sua vulnerabilidade, sua forma aberta de ser, sua autenticidade. Isso não acontecia até que Jack começou a falar abertamente sobre suas tentações e seus problemas pessoais. Porque, em nossos dias, nós nos sentimos obrigadas a ter uma pretensa perfeição, que não nos permite mostrar nossas fraquezas. Estou feliz que essa obrigação esteja acabando, pois coloca muita pressão sobre nós para nos apresentarmos de forma artificial.

Viver de maneira autêntica é ser genuinamente real e não "falsificada". Deus nos libertou e isso nos permite sermos autênticas acerca de quem somos. Muitas vezes, nos apresentamos muito aquém ou muito além de quem verdadeiramente somos, mas ser autêntica é ser simplesmente quem você é.

Autenticidade não significa ser gentil com todo mundo, exceto com aqueles que professamos amar. Isso não é autenticidade, é falsidade. Nós devemos aprender a ser consistentes. O que isso significa? Que temos de encontrar espaço para dizer, de forma transparente: "Estou realmente enfrentando uma luta em casa". Não se permitir ser autêntica blinda você de ouvir conselhos e sugestões sinceros que podem ajudá-la em muitas coisas. Se, por exemplo, estamos enfrentando uma luta em casa, podemos simplesmente sentar em volta da mesa e dizer às amigas: "Eu não sei o que farei em relação ao meu marido! Estou tentando entendê-lo, mas eu não o entendo!". Se temos abertura para falar sobre o que estamos enfrentando, abrimos espaço para alguém dizer: "Deixe-me ouvir pelo que você está passando. Talvez eu já tenha vencido uma situação semelhante à sua e possa lhe mostrar um novo ângulo ou uma nova forma de enxergar a situação". Porém, se nunca somos verdadeiras com

> *Muitas vezes, nos apresentamos muito aquém ou muito além de quem verdadeiramente somos, mas ser autêntica é ser simplesmente quem você é.*

relação à pessoa que amamos, não vamos obter nenhum tipo de contribuição. Viver de forma autêntica ajuda você a sair de uma situação assim.

Também falhamos em nossa autenticidade quando fingimos ser o que não somos no intuito de sermos mais aceitas em nosso grupo social. O problema é que, quando vestimos máscaras sociais, enfraquecemos como pessoa. Isso acontece porque acabamos nos tornando dissimuladas, o que começa a minar nossa própria identidade. E, quando o fazemos, perdemos o respeito próprio.

Tenha cuidado para não cair na armadilha de concordar silenciosamente com convicções das quais não compartilha. Isso não significa impor suas convicções a outras pessoas. Os cristãos da igreja apostólica disputaram entre si para definir se deviam comer carne ou não. Alguns diziam que carne não era algo puro, outros diziam que haviam sido libertos pela Lei e que podiam comer carne à vontade. Então Paulo chegou e disse: "Quem come qualquer tipo de alimento também o faz para honrar o Senhor, uma vez que dá graças a Deus antes de comer. E quem se recusa a comer certos alimentos deseja, igualmente, agradar ao Senhor e por isso dá graças a Deus" (Rm 14.6). Em outras palavras, ele estava dizendo: "Deixe cada um ter suas próprias convicções".

Benevolência

O quinto elemento necessário para construir a sua autoconfiança é a benevolência, isto é, bondade, magnanimidade, boa vontade. A sua autoestima, o seu respeito e a sua confiança subirão para um novo nível se você se dedicar a ajudar outras pessoas.

O egoísmo destrói completamente a verdade, o valor e o respeito próprio. Uma pessoa egoísta tem baixo respeito por si mesma. O oposto do egoísmo é a benevolência, o desejo de compartilhar.

Eu não quero guardar as coisas boas apenas para mim, quero passá-las adiante, a fim de ajudar as outras pessoas. Quando você se dedica a auxiliar o próximo, esquece a intenção de agradar apenas a si mesma.

A benevolência nos leva a ter uma preocupação sincera com os outros, a enxergar a causa, a missão e o propósito deles. Viver de forma benevolente mostra respeito pelos outros, os honra e os eleva. Olhar nos olhos e ter pequenos gestos de gentileza nos ajudam a ter empatia com os outros, complementando e edificando, escutando atentamente e sendo espontânea.

Integridade

Integridade é um conceito difícil de definir. Se eu lhe pedisse que fizesse isso, o que você diria? Talvez dissesse que é sinônimo de honestidade ou algo assim. O real significado de integridade remete a uma integração de suas convicções e crenças, seus padrões e comportamentos.

Você não pode crer em algo, agir de outra forma e ser íntegro ao mesmo tempo. Você não pode ter convicção acerca de algo e flexibilizar essa convicção.

Em outras palavras, você não pode crer em algo, agir de outra forma e ser íntegro ao mesmo tempo. Você não pode ter convicção acerca de algo e flexibilizar essa convicção.

Por exemplo, se você tem a convicção de que o aborto é moralmente errado, não importa se sua filha adolescente conceber uma criança, você precisa manter-se íntegra e fiel a seus princípios. Ou, então, você pode acreditar que existe um Deus, que Jesus morreu pelos pecados do mundo, que podemos estar livres do pecado e ter redenção em nossa vida. Mas, se, ao mesmo tempo, você viver derrotada pelo pecado, sem nunca aplicar o que crê na vida prática, fazendo escolhas erradas vez após outra, não está sendo íntegra. Identificar suas convicções e andar de acordo com elas faz com que você construa respeito por si mesma e confie mais e mais em si.

Ao comportar-se com integridade, você não precisa temer estar errada ou falhar novamente. O medo começa a desaparecer e você se torna mais forte. Com isso, a autoconfiança alcança novos patamares. A verdade é que a forma como você fala sobre si e como se enxerga vai ajudar a elevá-la a novos patamares, com confiança.

– Vamos orar –

Pai, obrigada pelo entendimento sobre a importância de me amar. Não importa o que outros disseram de negativo a meu respeito, sei que tu me fizeste uma nova pessoa e me deste valor. Tu me ensinaste a ser humilde, mas também a amar quem me criaste para ser, a fim de que eu possa oferecer minha melhor versão para os outros — com confiança. Também peço orientação para viver cada dia com sabedoria, dirigida pelo Espírito Santo. Quero tomar decisões que honrem teu nome.

Senhor, desejo amar os outros como me amo. Ajuda-me a identificar cada oportunidade de amar as pessoas ao meu redor. Tu és a fonte de amor e sou apenas teu instrumento. Usa-me como for do teu agrado.

Em nome de Jesus eu oro. Amém.

4
Escolha abraçar a mudança

Você já começou alguma mudança em sua vida e a abandonou no meio do processo? Ou será que iniciou um projeto por um tempo e abraçou as mudanças por dias, meses ou anos, mas, de repente, voltou atrás? Talvez você já tenha sido fumante, por exemplo, e parou por algumas semanas, mas, depois, voltou a fumar. Eu tenho uma tia que abandonou o cigarro por muitos anos, mas, certo dia, resolveu voltar a fumar. Ela sabia qual era a melhor decisão a tomar, pois teve um irmão que morreu de câncer. De alguma forma, ela sabia o que deveria fazer, mas não o fez. Tem gente que age assim, infelizmente. Se é o seu caso, você precisa agir diferente.

Deus sempre nos conduzirá a tomar as melhores decisões, incomodando-nos em nosso espírito, mas muitas pessoas não estão prontas a mudar, geralmente porque lhes falta a convicção suficiente. Se você começa a mudar sem ter confiança inabalável nos motivos dessa transformação, não conseguirá dar os passos necessários e, com isso, não terá êxito.

Todavia, é possível fazer transições necessárias, caso você aumente sua sensibilidade e concentre-se previamente. Um exemplo pessoal: havia algo em minha vida em que eu precisava mudar, que era meu modo de falar. Eu não estava ciente dessa necessidade, mas uma pessoa me fez percebê-la. Certo dia, uma mulher veio até mim após um estudo bíblico semanal e me disse: "Você é uma excelente oradora, mas existe um aspecto na sua forma de ministrar que provoca muita distração". Curiosa, indaguei do que se tratava. Ela explicou: "Você termina muitas frases com a expressão: 'Você entende o que eu estou falando?'". Fiz uma cara surpresa, pois nunca me dera conta desse meu vício de linguagem. Ela continuou: "Eu contei durante o estudo dessa manhã e você usou essa expressão dezesseis vezes". Fiquei constrangida, mas aquela mulher bem-intencionada me fez perceber a minha falha e, com isso, passei a me dedicar a fim de mudar de atitude.

Depois daquela conversa, comecei a me concentrar e a reunir informações sobre o que eu precisava mudar a fim de me tornar uma oradora cada vez melhor. Assim como foi com aquela mulher, cuja dica me ajudou a começar um relevante processo de mudança, Deus põe no nosso caminho pessoas que nos ajudam a estar cientes do que precisa mudar em nós.

É muito importante para quem deseja mudar estar comprometido com o aprendizado. Se desejo transformar algo em minha vida, tenho de abraçar o que for preciso, inclusive a dor do processo.

É muito importante para quem deseja mudar estar comprometido com o aprendizado. Se desejo transformar algo em minha vida, tenho de abraçar o que for preciso, inclusive a dor do processo. É fundamental que nos perguntemos, quando outra pessoa nos der alguma dica: "Por que ela quer que eu mude?". Dê boas-vindas à influência de pessoas bem-intencionadas! Saber lidar com isso lhe trará grande desenvolvimento.

Esse é o estágio da concentração, que consiste em tomar ciência de seu problema. Com isso, você assume a responsabilidade por ele e abre-se, inclusive, para falar sobre a questão. Há um princípio bíblico no qual, se confessamos a nossa necessidade de mudança a outra pessoa e aquela pessoa ora conosco, abrimos caminho para sermos curadas:

> Portanto, confessem seus pecados uns aos outros e orem uns pelos outros para serem curados. A oração de um justo tem grande poder e produz grandes resultados. Elias era humano como nós e, no entanto, quando orou insistentemente para que não caísse chuva, não choveu durante três anos e meio. Então ele orou outra vez e o céu enviou chuva, e a terra começou a produzir suas colheitas.
>
> Tiago 5.16-18

Em outras palavras, a mudança pode acontecer, mesmo se for algo difícil e arraigado em sua cultura familiar. Se empreender o esforço necessário à mudança, você não precisará continuar atrelada a um tipo de comportamento negativo que talvez tenha feito parte de sua família por gerações. E você pode iniciar esse processo agora mesmo, ao escolher realizar as mudanças necessárias.

Preparação

Outra atitude necessária para crescer durante o estágio de concentração é ler a respeito daquilo em que se precisa mudar. Leia livros de bons autores e editoras sérias, junte informações, adquira conhecimento. Busque conteúdo a respeito de onde você quer chegar. Por exemplo, se você almeja mudar seus padrões em relação à criação de seus filhos, leia livros de autores gabaritados que falem sobre o assunto. Acesse bons materiais, assista a vídeos confiáveis, observe outros pais.

Uma das coisas mais impactantes que aconteceram em minha vida quando eu era uma jovem mãe foi observar uma senhora cuidar de seus filhos. Eu me baseei nela para estabelecer meus padrões. Por que fiz isso? Porque eu era uma aprendiz, estava aberta a receber instrução de outras pessoas e a admitir que não sabia tudo. Einstein disse que a chave para resolver problemas é fazer as perguntas corretas. Então faça-as!

Você pode aplicar isso não apenas em relação aos seus filhos, mas a aspectos do seu corpo e das suas emoções, à forma como age em conflitos, ao modo como lida com a raiva e o estresse. Todas essas são áreas em que precisamos mudar e devemos aprender sobre elas a partir de fontes de informação confiáveis. Em nosso caso, mulheres cristãs, sempre é importante adquirirmos o conhecimento sobre o que a Bíblia diz sobre o assunto em questão.

Da concentração devemos seguir para a preparação, quando reunimos informações, e daí para a ação. [...] Se você planeja com sabedoria, assim que começar a agir você será capaz de manter-se fiel ao que é necessário.

É importante que você saiba que esse processo leva tempo, não dá para pular de uma vez só da etapa inicial para a final, é um passo a passo. Da concentração devemos seguir para a preparação, quando reunimos informações, e daí para a ação. Você não deve começar uma dieta, por exemplo, sem estabelecer uma estratégia bem delineada: quantos quilos preciso emagrecer? Quais hábitos alimentares preciso mudar? Talvez necessite mudar de trabalho, de casa, de investimentos. Se você planeja com sabedoria, assim que começar a agir você será capaz de manter-se fiel ao que é necessário.

A fase de preparação é importante para criar estratégias eficazes de mudança e para visualizar-se sendo diferente. Olhe para você mesma e imagine-se do jeito que quer estar quando chegar ao fim do processo. Traga à mente quais passos práticos precisa dar para alcançar seus objetivos.

A preparação a conduz ao comprometimento e o comprometimento requer força de vontade. Mas, em algumas situações da vida, não importa quanta força de vontade tenhamos, não conseguimos ser fortes o bastante. Por isso, podemos recorrer a um poder sobrenatural: o poder de Deus. Apenas o Criador pode lhe dar esse poder, por meio do Espírito Santo. Quando o apóstolo Paulo analisou a igreja de Éfeso, percebeu que aqueles irmãos precisavam empreender mudanças. Por isso, escreveu: "Peço que, da riqueza de sua glória, ele [Deus] os fortaleça com poder interior por meio de seu Espírito" (Ef 3.16). Para estar apto a mudar, o indivíduo precisa que a transformação se dê mediante a união da razão, da consciência e da vontade. O próprio apóstolo Paulo orou para que isso acontecesse entre os efésios, a fim de que eles pudessem abraçar a mudança.

De igual modo, você deve começar na preparação e, então, estabelecer um prazo. Delimitar uma data evita procrastinação. Quando você impõe a si mesma um prazo e assume a responsabilidade por seu propósito de mudar, tornando pública a informação de que fará algo diferente em sua vida, torna-se responsável pela decisão.

Uma das atitudes mais importantes nesse processo é mudar padrões de comportamento usuais. Seja o que for que você queira mudar, não siga na mesma rota a que já está acostumada. Por exemplo, se você está começando uma dieta restrita e uma das suas vulnerabilidades é comer salgadinhos enquanto assiste à TV, é preciso não assistir à TV ou não comprar salgadinhos. Não caminhe pela rota por onde também trafegam a tentação, a vulnerabilidade e fraqueza. Se você for se sentar no mesmo sofá, à mesma hora, para assistir ao mesmo programa de sempre, é quase certo que se levantará a fim de pegar um salgadinho para comer, pois está condicionada a isso.

Eu tenho uma amiga que, infelizmente, se tornou seriamente viciada em álcool. Ela começou tomando vinho após o jantar e, depois, uma taça antes de dormir. E, aos poucos, tornou-se uma dependente triste e desesperançada. É necessário mudar o percurso. Certo homem contou ao meu marido como venceu o vício em pornografia: ele mudou o percurso ao dirigir do trabalho para casa, pois sempre parava para comprar materiais pornográficos no trajeto habitual. Para isso, ele mudou-se de casa e foi morar no outro lado da cidade. Pode parecer drástico, mas é eficiente.

Pense biblicamente

Durante o processo de mudança, devemos buscar forças nas Escrituras, e isso diariamente. Para tanto, você precisa de um ambiente quieto, em que possa ficar sozinha com Deus. Durante esse período, pense em coisas positivas e que a fortaleçam. Coloque-se em uma disposição mental positiva, com ações de graças. A gratidão naturalmente inclui conhecer a Deus e, com isso, ele começará a ministrar paz ao seu espírito, uma paz que protege seu coração contra a ansiedade em relação ao que será preciso enfrentar.

O salmista declara: "Feliz é aquele que não segue o conselho dos perversos, não se detém no caminho dos pecadores, nem se junta à roda dos zombadores. Pelo contrário, tem prazer na lei do Senhor e nela medita dia e noite" (Sl 1.1-2).

Nós, cristãs, não temos pensado o suficiente sobre a importância da meditação. Meditação é uma prática bíblica para a edificação espiritual. Precisamos fazer da meditação bíblica parte de nossa vida. Por quê? Porque quem assim o faz "é como a árvore plantada à margem do rio, que dá seu fruto no tempo certo. Suas folhas nunca murcham, e ele prospera em tudo que faz" (Sl 1.3). A insegurança, a indecisão, a culpa, a falta de confiança e todos os demais obstáculos começarão a ser eliminados e você se tornará forte por meio da meditação na Palavra de Deus. Isso tem a ver com a mudança da nossa forma de pensar.

O antigo termo bíblico para "vício" é "tentação". Ao nos ensinar a orar, Jesus disse: "E não nos deixes cair em tentação" (Mt 6.13). É preciso orar a respeito daquilo que nos tenta. Deus quer que tenhamos controle de nós mesmas. Seja a tentação que for, Deus almeja que a tenhamos sob controle. Tiago escreveu: "Feliz é aquele que suporta com paciência as provações e tentações, porque depois receberá a coroa da vida que Deus prometeu àqueles que o amam" (Tg 1.12). Há uma recompensa eterna para quem se torna forte o suficiente para vencer a tentação. A tentação sempre está relacionada ao que é mau. Por exemplo, não há nada de errado em comer salgadinhos, mas, se essa é uma tentação para você, torna-se algo ruim, uma vez que é uma prática que a domina, e não o contrário.

> *A insegurança, a indecisão, a culpa, a falta de confiança e todos os demais obstáculos começarão a ser eliminados e você se tornará forte por meio da meditação na Palavra de Deus. Isso tem a ver com a mudança da nossa forma de pensar.*

Você sabe em que precisa mudar. Talvez precise alterar os hábitos alimentares, as prioridades, a forma como lida com o tempo livre, a maneira de cozinhar, a forma como trata as pessoas, o jeito de limpar sua casa, o modo como lida com seu marido, o jeito como reage às circunstâncias, os pensamentos, as tradições religiosas... enfim, há um universo de possibilidades. É possível que você precise repensar muitos aspectos da sua vida.

Também é importante reavaliar constantemente as prioridades e os valores. O sistema de valores da sociedade em que vivemos está em declínio. Cada vez mais, a sociedade tem aceitado valores inadmissíveis do ponto de vista bíblico. Você pode pensar que isso não a tem afetado, mas não é verdade. Precisamos constantemente analisar nossos padrões de pensamento, aquilo que cremos estar certo e errado, e verificar se estamos pensando de acordo com a Bíblia ou com a novela da televisão.

Não importa qual seja a situação, se você escolhe abraçar os valores corretos, e os põe em primeiro lugar, Deus lhe dará provisão. Lembre-se de que é você quem estabelece o padrão de si mesma, debaixo da soberania divina.

Não importa qual seja a situação, se você escolhe abraçar os valores corretos, e os põe em primeiro lugar, Deus lhe dará provisão. Lembre-se de que é você quem estabelece o padrão de si mesma, debaixo da soberania divina. Deus lhe dá capacidade para viver em qualquer nível que escolha, desde que você esteja agindo dentro da vontade dele.

Você não pode culpar o passado nem temer o futuro. Decida hoje o que almeja para a sua vida. Às vezes, é aterrorizante enfrentar mudanças, eu sei, mas, se temos a certeza de que estamos nos dedicando a mudar para satisfazer a vontade de Deus, teremos segurança. Normalmente, estamos confortáveis onde nos encontramos e nossa tendência é fincar os pés no chão. Mas... será essa a vontade de Deus?

Tenho consciência de que, às vezes, é aterrorizante empreender uma grande transformação na rotina, nos valores que nos norteiam ou em qualquer questão que precisemos enfrentar. Ser honesta consigo mesma é imprescindível, mas, muitas vezes, também é aterrorizante. Se é o caso, lembre-se de que Jesus também passou por uma situação em que ficou aterrorizado. Na noite em que foi preso para ser crucificado, uma das últimas ações de Jesus foi entrar no jardim e orar por si mesmo. As Escrituras dizem que ele estava amedrontado. Jesus não apenas ficaria isolado, mas seria rejeitado, a ponto de achar que o Pai o havia abandonado. O Filho implorou ao Pai que afastasse dele o cálice do sofrimento, isto é, que fizesse o que tinha de ser feito para a redenção da humanidade de outro modo que não exigisse tanta dor.

> Então Jesus foi com eles a um lugar chamado Getsêmani e disse: "Sentem-se aqui enquanto vou ali orar". Levou consigo Pedro e os dois filhos de Zebedeu e começou a ficar triste e angustiado. "Minha alma está profundamente triste, a ponto de morrer", disse ele. "Fiquem aqui e vigiem comigo."
>
> Ele avançou um pouco, curvou-se com o rosto no chão e orou: "Meu Pai! Se for possível, afasta de mim este cálice. Contudo, que seja feita a tua vontade, e não a minha".
>
> Mateus 26.36-39

Quando vencemos o medo da mudança, pode ser desafiador e doloroso, mas sempre haverá um destino certo. Se a mudança ocorrer por fidelidade a Deus e aos princípios bíblicos, esse destino trará consigo crescimento. Basta dizer: "Seja feita a tua vontade, e não a minha".

> ### – Vamos orar –
>
> *Pai, compreendo que, com frequência, mudanças sejam necessárias e, em alguns casos, inevitáveis. Embora seja desconfortável e cansativo, quero aceitar as mudanças de bom grado. Creio que tu operas por meio das circunstâncias e mudanças são necessárias para que eu cumpra tua vontade e teu propósito.*
>
> *Senhor, peço que amplies minha capacidade de conduzir o processo de mudanças. Confio a ti o desconhecido, pois tu nunca mudas. Sei que trarás alívio e orientação quando necessário.*
>
> *Muda-me, Pai. Escolho transformar meus caminhos obstinados e conformar minha vida à tua vontade. Aceitarei as dificuldades, a fim de poder vivenciar a liberdade que prometeste.*
>
> *Em nome de Jesus eu oro. Amém.*

5
Escolha transformar o negativo em positivo

Todas enfrentamos situações negativas ao longo da vida. Isso é líquido e certo. Diante dessa realidade, temos duas opções: ficarmos abatidas e paralisadas ou transformarmos o negativo em positivo. Meu intuito neste capítulo é ajudá-la a agir proativamente nas adversidades, invertendo as dificuldades a seu favor, em vez de empacar diante delas.

Devemos escolher propositadamente que resposta daremos a cada revés da vida. Se reagimos de forma negativa, nossa reação se multiplicará por meio de cada atitude, o que só disseminará mais e mais negatividade. Isso não tem nada a ver com pensamento positivo ou palestras motivacionais de autoajuda, mas com princípios bíblicos. Aliás, a Bíblia nos mostra que você nunca eliminará o que é negativo em sua vida por meio de um suposto "poder do pensamento positivo". Esse tipo de filosofia quer levá-la a acreditar que é necessário apenas pensar no que deseja e as coisas vão mudar. A verdade, porém, é que há um tempo e um propósito para cada coisa e que o negativo e o positivo sempre vão conviver. Temos de aprender a lidar com essa realidade.

Até mesmo nas igrejas, muitas vezes o dom da fé, que é bíblico, é equivocadamente confundido com pensamento positivo. Muitos pregadores dizem que, se tão somente você declarar algo, se apenas decretar isto ou aquilo, se simplesmente acreditar, você conseguirá o que deseja. Todavia, é preciso que você saiba que muitas vezes você *não* conseguirá o que quer.

Eclesiastes esclarece que a vida inclui o positivo e o negativo. E nós devemos aprender a lidar com isso, debaixo do entendimento da soberania de Deus.

> Há um momento certo para tudo, um tempo para cada atividade debaixo do céu. Há tempo de nascer, e tempo de morrer; tempo de plantar, e tempo de colher. Tempo de matar, e tempo de curar; tempo de derrubar, e tempo de construir. Tempo de chorar, e tempo de rir; tempo de se entristecer, e tempo de dançar. Tempo de espalhar pedras, e tempo de ajuntá-las; tempo de abraçar, e tempo de se afastar. Tempo de procurar, e tempo de deixar de buscar; tempo de guardar, e tempo de jogar fora. Tempo de rasgar, e tempo de remendar; tempo de calar, e tempo de falar. Tempo de amar, e tempo de odiar; tempo de guerra, e tempo de paz.
>
> Eclesiastes 3.1-8

Sim, há momento certo para tudo, um tempo para cada atividade debaixo do céu! O tempo de Deus é perfeito! O nosso não, pois não conhecemos o cronômetro divino. Talvez você esteja passando por alguma situação difícil e acredite que não é o tempo certo para que aquilo aconteça. Se é o caso, compreenda uma verdade espiritual fundamental: Deus usa constantemente situações negativas para criar algo positivo.

Compreenda uma verdade espiritual fundamental: Deus usa constantemente situações negativas para criar algo positivo.

Talvez haja algo na sua rotina a que você esteja apegada e do qual tenha de abrir mão. Algo que foi plantado no passado, mas, agora, chegou o tempo de arrancar o que plantou. Tudo tem seu momento certo. Há tempo até para estar em silêncio! Em sua primeira carta, Pedro instrui as mulheres a serem sujeitas aos maridos descrentes, para que eles sejam ganhos sem palavra. Sem palavra! Sim, há tempo para manter-se em silêncio.

É evidente que nem tudo o que acontece na jornada da vida é bom, mas, mesmo nas situações mais negativas, podemos enxergar algo positivo, que nos fará crescer e amadurecer. É como um homem que tinha um cachorro a quem amava muitíssimo. Certo dia, o cão foi atropelado e seu corpo ficou caído no acostamento da estrada. As pessoas que passavam conseguiam ver o processo de decomposição e toda a podridão que tomara conta do cadáver. Depois de muito tempo, seu dono descobriu onde o corpo estava e foi até o local. Ao vê-lo naquela situação, ele disse: "Ele tinha belíssimos dentes brancos, como pérolas". Essa história mostra que sempre podemos ver algo bom, mesmo nas piores circunstâncias. Lembre-se de que, quando Deus olha para nós, ele vê nossos muitos pecados, as debilidades e as escolhas erradas que fizemos, e tudo isso é como podridão para ele. Ainda assim, o Senhor enxerga valor em nós.

Eclesiastes é claro: "E sei que tudo que Deus faz é definitivo; não se pode acrescentar ou tirar nada. O propósito de Deus é que as pessoas o temam" (Ec 3.14). Há um poder maravilhoso que controla as situações da vida, inclusive as negativas, para um propósito que vai além da situação em que estamos. Temos de ajustar nosso pensamento a esse entendimento se desejamos transformar o negativo em positivo.

Todas enfrentaremos circunstâncias más e conviveremos com pessoas ruins. Naturalmente, nossa reação imediata não é enxergar algo correto, puro ou amável nelas, mas a Bíblia diz que devemos pensar no que é excelente e digno de louvor (Fp 4.8). Portanto, o caminho é encontrar valor naquilo que aparentemente não tem e concentrar as atenções nesses aspectos positivos. Se você aprender esse princípio e o puser em prática, estou convicta de que ele mudará a sua vida.

Os pensamentos negativos se retroalimentam, o que não acontece muito com os pensamentos positivos. Você pensa em quão maravilhosa, edificante, virtuosa e especial uma pessoa é, a respeita e a honra, mas não fica pensando nisso a noite toda. Já um pensamento negativo tem a capacidade de vir à mente vez após vez. É impressionante! Muitas vezes, ele martela tanto em sua cabeça que você chega a perder o sono e passa a noite em claro. Portanto, foque no que é positivo, pois essa postura fará você perceber a realidade e a tornará capaz de extrair algo bom de toda e qualquer situação.

Busque o ouro

É possível que você esteja desejosa de transformar o negativo da sua vida em positivo, mas, por medo do fracasso, não consiga dar o primeiro passo. Tente enxergar essa tarefa como a garimpagem para encontrar ouro: se você nunca investir esforços para encontrar o metal precioso no meio da areia e do cascalho, nunca o achará. Porém, se vier a dedicar-se com afinco para encontrá-lo, pode até não ser bem-sucedida, mas o que conquistará durante o processo de garimpagem será valioso.

É possível reconstruir uma vida problemática pela mudança na maneira de pensar? Sim, é. Quando você se levantar pela manhã, persiga o ouro daquele dia. Faça de cada dia o melhor possível! Se você executar o projeto de garimpagem de qualquer maneira, nunca obterá o ouro, assim como um jardineiro só consegue fazer brotar flores no jardim se as plantar da forma correta. Quem planta flores do modo errado nunca as colherá. Talvez sua plantação não esteja florescendo porque o solo não está devidamente preparado e, se for o caso, é preciso separar um tempo para repensar sua estratégia, obter as informações corretas e adquirir os materiais adequados.

Quando você fizer algo, persiga o ouro! Aja da forma correta! Quando arrumar as camas, "estique os lençóis". Quando arrumar a cozinha, varra muito bem o chão. Isso começará a fazer brotar um sentimento positivo no seu coração e, com isso, seu olhar negativo começará a enxergar possibilidades de transformação para o positivo.

Seja o que for, faça da melhor forma possível, como se fosse para Deus, como um ato de serviço e amor. Isso mudará a sua vida! No intuito de perseguir o ouro diário, você deve estabelecer metas positivas e buscar sempre a excelência.

A Bíblia diz: "Em tudo que fizerem, trabalhem de bom ânimo, como se fosse para o Senhor, e não para os homens" (Cl 3.23). Isso significa que tudo o que fizermos pode ser um ato de louvor. Seja o que for, faça da melhor forma possível, como se fosse para Deus, como um ato de serviço e amor. Isso mudará a sua vida! No intuito de perseguir o ouro diário, você deve estabelecer metas positivas e buscar sempre a excelência.

Nesse sentido, também é fundamental que você identifique o seu propósito como pessoa, para que empreenda a jornada tendo firmeza a cada passo. Se eu lhe dissesse para pegar um pedaço de papel e escrever qual é o seu propósito na vida, como ser humano e como mulher, o que você escreveria? Se não sabe como identificar quem você é e para onde está seguindo, vai gastar meses ou anos sentindo-se vazia. A boa notícia é que Deus sabe quem você é e para que foi criada. As situações negativas do passado talvez tenham posto uma grande barreira em sua vida e, por essa razão, você não consiga identificar seu propósito. Mas Deus pode auxiliá-la a derrubar qualquer barreira, a fim de levá-la a descobrir o plano dele para sua vida e mudar suas percepções negativas em positivas.

Eu me graduei no ensino médio e me casei logo após a formatura. Por essa razão, nunca fui à faculdade, mas Deus me criou com o propósito de ser uma eterna aprendiz. Ele plantou em meu coração um desejo apaixonado por aprender. Eu amo adquirir novos conhecimentos, mas, por muitos anos, não soube disso. Por um longo tempo sofri de um medo extremamente negativo de aprender. Eu acreditava, por exemplo, que não conseguiria reter informações. A verdade é que tinha muitos medos, que impunham uma carga extremamente negativa sobre mim. Foi somente quando percebi o dom que Deus me havia dado que cheguei à conclusão positiva de que ele me capacitaria a fim de cumprir o propósito para o qual me criou. Com isso, livrei-me daquele medo e me tornei uma aprendiz apaixonada por adquirir mais e mais conhecimentos!

Há vários motivos para não avançarmos nesse processo e ficarmos estagnadas em um estado de espírito carregado de negatividade. Se eu não tivesse descoberto essa realidade, não seria a pessoa positiva que sou hoje. Deus quer nos usar do jeito que somos! Abrace o propósito do Senhor para a sua vida e não deixe que ninguém roube de você o que é preciso para desempenhar bem o seu papel. Quando compreendemos o nosso propósito, energizamos a vida. É isso que eliminar o negativismo faz.

Mudar o negativismo por uma visão positiva da vida é lançar fora as barreiras que a impedem de cumprir o propósito de Deus para a sua jornada. Para isso, delimite o seu foco. Talvez você precise de aconselhamento e encorajamento. Pode ser que necessite ler bons livros. Ou, ainda, cancelar algo em sua agenda e redirecionar as atenções. Decida o que é mais importante para você.

Busque em primeiro lugar o reino de Deus

Quando você tomar suas decisões, precisará de fortalecimento, a fim de alcançar aquilo que almeja. A passagem bíblica mais fortalecedora nesse sentido é: "Busquem, em primeiro lugar, o reino de Deus e a sua justiça, e todas essas coisas lhes serão dadas" (Mt 6.33). Aqui está a lei da prioridade e da completude, que especifica o que você deve priorizar a fim de ter uma vida positiva.

Se você não compreende exatamente o que significa buscar em primeiro lugar o reino de Deus e a sua justiça, pense em um país que é governado por um rei. Jesus é quem governa e reina sobre a sua vida. Portanto, o cristianismo é o reconhecimento do reinado de Cristo. Compreender essa realidade nos leva a não querer mais ser a "rainha" sobre a nossa vida, mas a entregar tudo ao Rei, que é capaz de mudar o negativo em positivo.

Buscar o reino de Deus e a sua justiça em primeiro lugar também significa viver por suas regras. O Senhor tem mandamentos, que são apresentados na Bíblia, o guia mais prático que existe para a vida. Se você busca primeiro as regras de Cristo e o direcionamento divino, isso a fortalecerá para extrair o que há de mais positivo na vida. Quando buscamos seu reino, Deus fortalece o seu propósito em nossa jornada, nos capacitando a nos tornar quem nos criou para ser. Se você se concentrar nessa prioridade, tudo mudará!

Minha neta estava participando de uma competição de natação, que envolvia um mergulho em uma piscina profunda. Ela nunca havia feito aquilo antes, por isso sua instrutora ficou preocupada. Embora minha netinha se sentisse confiante, temíamos que algo de errado acontecesse. "Eu consigo", ela dizia. Em vez de sua instrutora desencorajá-la, deu a ela o desafio de realizar um mergulho. Minha netinha pulou na água e fez uma belíssima apresentação. A instrutora foi muito sábia e, com sua postura, nos transmitiu uma lição: ela destacou positivamente o potencial de minha neta e não se concentrou negativamente na impossibilidade. Sem a sabedoria daquela instrutora, a pequena talvez nunca tivesse conseguido mergulhar. E, desde aquele episódio, ela tem se dedicado aos saltos ornamentais.

Quando buscamos seu reino, Deus fortalece o seu propósito em nossa jornada, nos capacitando a nos tornar quem nos criou para ser. Se você se concentrar nessa prioridade, tudo mudará!

Talvez o princípio mais significativo que meus pais introjetaram em mim foi o de não me ater às impossibilidades. Minha mãe nunca permitiu que seus filhos usassem as palavras "não posso". Ela não nos dava um falso sentido de esperança ou nos estimulava a ser desonestos quando realmente não conseguíamos fazer algo, mas nos ajudava a reafirmar, por meio de palavras positivas, aquilo que não estávamos conseguindo fazer.

Por exemplo, aos 12 anos eu estava aprendendo a tocar piano. Certa vez, fui convidada a tocar na igreja. A resposta natural seria: "Eu não consigo, ainda não posso, não sei tocar bem o suficiente". Mas minha mãe não permitia que disséssemos coisas assim, portanto, ela me ensinou a responder: "Talvez um dia eu estarei apta a tocar". Você consegue perceber a diferença nessa atitude? O resultado? Com 12 anos eu comecei a tocar piano na igreja! Não porque eu continuei tendo aulas e me tornei uma pianista profissional, mas, sim, porque minha mãe me ensinou a responder que um dia eu conseguiria. Com 12 anos eu não era a melhor pianista, mas era apta a tocar!

Existe alguma coisa que você não consegue, mas adoraria, realizar? Talvez algum dia você estará apta a fazer! Pense positivamente! Se você mudar seu modo de enxergar as dificuldades, determinada a sempre extrair o melhor daquilo que parece ser o pior, tudo vai mudar em sua vida!

– Vamos orar –

Pai, escolho ser responsável por meus pensamentos e ações. Torno-os cativos e agora sei que posso transformar todo pensamento negativo em positivo. O negativismo não terá mais permissão de entrar em minha mente. Escolho criar uma nova normalidade ou uma nova positividade, chamada fé.

Obrigada porque posso atravessar a jornada da vida com tua ajuda e teu apoio. Escolho enxergar o valor, a lição e o lado positivo de cada situação, por pior que ela pareça. Compreendo que ela contribuirá com minhas experiências e me ajudará ser mais resiliente. Ajuda-me, Senhor, a criar uma nova maneira de pensar, e que seja à tua maneira.

Em nome de Jesus eu oro. Amém.

6
Escolha fazer a diferença

Quando escolhemos fazer a diferença, adicionamos uma nova dimensão à vida, pois passamos a ter um impacto positivo sobre outras pessoas. Tenho buscado muitos ensinamentos sobre o tema e minha conclusão é que um aspecto específico não está sendo comunicado como deveria. Algumas vezes nos dizem que devemos servir às outras pessoas, pois isso trará completude à nossa vida, mas essa não é toda a verdade. É importante saber que, se você sempre se doa a fim de fazer a diferença, mas não se sente plena, não terá muito a dar e acabará se tornando uma pessoa amarga e vazia, porque não estará se alimentando com o que é necessário para estar forte. Portanto, é fundamental você se reabastecer quando se doa.

Pode ser que você se considere insignificante, sem formação suficiente ou algo assim, mas nada disso é desculpa para não fazer a diferença. Usar esse tipo de pensamento para não impactar a vida dos que estão ao redor me lembra a história do homem que estava à beira do mar quando viu outro indivíduo que pegava estrelas do mar e as lançava na água. Ele perguntou: "Desculpe-me, mas estou curioso: o que o senhor está fazendo?". O cidadão respondeu: "Estou salvando algumas estrelas do mar. Se eu não jogá-las na água, elas morrerão". O homem olhou em volta e lhe disse: "Mas você não pode salvar todas as estrelas do mar!". Ao que o homem pegou outra estrela do mar, a jogou no oceano e retrucou: "Mas fiz a diferença na vida desta aqui".

Percebe que diferença gigantesca podemos fazer na vida de alguém? O problema é acharmos que fazer a diferença é algo macro, mas isso não é verdade! Se pegarmos uma única estrela do mar e a lançarmos ao oceano, a diferença que fizemos para ela é indizível. Se eu escolho fazer a diferença na vida de alguém, por exemplo, apontando-lhe verdades que ele não esteja enxergando, encorajando-o e edificando sua vida e, em decorrência do meu gesto, essa pessoa escolhe fazer a diferença na vida de um terceiro indivíduo, isso já faz com que três pessoas sejam impactadas! Se esse processo continuar, dia a dia, no fim do ano haverá uma multidão de pessoas impactadas!

Lembre-se de que Jesus alimentou uma multidão a partir de apenas cinco pães e dois peixinhos. Quando escolhemos fazer a diferença, é dessa forma que acontece. Então, tudo o que você precisa fazer é começar do jeito que der, no ponto em que estiver. É como a história de dois homens que estavam internados no mesmo quarto de hospital. Imobilizados na cama, somente um deles conseguia enxergar pela janela. Ele, então, contava para o outro o que podia ver, falava do azul do céu e da posição do Sol, dos pássaros e do vento nas folhas das árvores. Certa vez, descreveu as crianças brincando no parque e relatou como elas se divertiam em um balanço. Era realmente muito bom ouvir tantos detalhes sobre o mundo lá fora. Certa manhã, o homem que ficava perto da janela faleceu. Por isso, uma enfermeira perguntou ao que estava no leito mais distante se ele desejava se mudar para mais perto da janela. Ele disse que adoraria. Mas, quando se deitou no local em que o amigo ficava, percebeu que a única coisa que se podia ver pela janela era uma parede branca. Aquele homem aparentemente incapacitado, preso a um leito de hospital, conseguiu dedicar seus últimos dias de vida a fazer a diferença na vida de outro ser humano, dando-lhe alegrias que, de outro modo, não teria. No intuito de fazer a diferença, temos de pintar um quadro em nossas paredes brancas.

Um detalhe importante: você não pode fazer a diferença na vida de alguém enquanto não tomar a decisão de fazer o mesmo na sua vida. Desordem na rotina nos faz ficar ansiosas, e a ansiedade faz com que experimentemos emoções negativas. Um ambiente de desordem tira a nossa paz.

Você pode culpar alguém por estar onde se encontra neste momento da vida, mas a realidade é que, abaixo de Deus, você é a única que influencia de forma consistente os rumos da sua jornada. Não deixe que os outros façam você se tornar aquilo que não é. Não importam as situações adversas, você pode fazer a diferença nos seus dias. Então, não deixe que os outros a puxem para um lugar no qual perderá a paz e o equilíbrio.

Quando você escolhe fazer a diferença em sua vida, consegue parar de somente reagir e começa a agir adequadamente em cada situação. Muitas vezes, tudo o que precisa fazer é parar alguns minutos e dar um passo para trás. Respire fundo. Ore. Espere no Senhor. Confie. Não estou propondo uma rotina religiosa, estou falando de estabelecer uma conexão íntima e paciente com o Espírito que habita em você e lhe dá o poder de não deixar que outra pessoa faça você se tornar aquilo que não é. Mediante essa ação divina, você poderá responder da forma positiva!

Certo homem passava todos os dias por um pedágio a caminho do trabalho. Sempre que atravessava a guarita, via o rapaz que trabalhava lá dançando! Após alguns dias vendo aquela cena curiosa, o homem decidiu perguntar: "O que você está fazendo?". O rapaz lhe respondeu: "Eu serei um dançarino profissional em Nova York algum dia desses e, por isso, estou treinando". O rapaz tinha uma meta e escolheu usar a cabine do pedágio onde trabalhava para ajudá-lo a chegar ao seu destino. Ele estava fazendo uma escolha! Algumas vezes, é preciso que tenhamos imaginação criativa para escolhermos fazer a diferença.

O que você tem escolhido fazer em sua cabine de pedágio? Pode ser que você esteja sentada, reclamando, odiando a rotina. Talvez esteja presa a uma situação que ache sem importância e sem senso de valor, realização ou completude e, por essa razão, não está feliz. Seu desejo é mudar a situação. Se é esse o caso, saiba que é possível fazer a diferença em sua cabine de pedágio! Use a imaginação! Quero desafiá-la a fazer a diferença, primeiro, em seu mundo. Tente melhorar tudo o que pode na sua casa, sem gastar um centavo. Apenas pense a respeito.

É inacreditável a quantidade de recursos que temos desperdiçado. Nós pensamos: "Se eu tivesse um emprego melhor ou mais dinheiro, tudo mudaria". Mas esse pensamento está equivocado. Certo dia, uma mulher me serviu um copo de água. Eu estava sedenta. O copo era muito simples e não tinha nenhum detalhe. Mas aquela mulher soube fazer a diferença: pegou um pequeno guardanapo e, com capricho, o colocou em um prato, onde pôs também o copo de água. Ela fez um simples copo de água tornar-se algo bem mais elegante! Aquilo não custou muito dinheiro, apenas um pouco de criatividade.

De alguma forma, aquela mulher escolheu servir um singelo copo de água de forma extraordinária. Eu desafio você a fazer o mesmo: pense no que pode fazer com aquilo que tem e use atitudes simples para impactar a vida dos outros!

Cuidado com o egoísmo

Um dos maiores entraves para fazermos a diferença é o egoísmo. É incrível como um modo de viver egoísta leva a pessoa a focar-se em si mesma. O problema é que, quando uma pessoa se põe sempre no foco, ela acaba vazia, sem satisfação pessoal nem completude. Se, quando nos doamos, recebemos, quando retemos, perdemos.

A pessoa que adota um estilo de vida egoísta só se conforma com ideias próprias. Além disso, nunca interrompe programas pessoais e só toma decisões com base em sentimentos individualistas. Tal pessoa é uma reclamadora crônica e fica profundamente irritada quando é interrompida, pois não percebe as necessidades daqueles que estão ao redor. O egoísta não é hospitaleiro, a não ser que haja um ganho pessoal em receber bem. Ele serve apenas se for solicitado, cancela compromissos rapidamente e é habitualmente atrasado.

Nós precisamos escolher o tipo de semente que desejamos ver crescer ao redor e descobrir como obtê-las. Um excelente meio de conseguir boas sementes é ficar perto de pessoas saudáveis, em um ambiente saudável, e ler livros saudáveis.

Por outro lado, quem adota uma forma de viver abnegada e generosa torna-se um semeador, pois escolhe lançar sementes positivas por onde passa. Nós precisamos escolher o tipo de semente que desejamos ver crescer ao redor e descobrir como obtê-las. Um excelente meio de conseguir boas sementes é ficar perto de pessoas saudáveis, em um ambiente saudável, e ler livros saudáveis.

Portanto, é importante olhar para além de você mesma e se perguntar: "Este é o tipo de colheita que desejo ver crescer e se reproduzir em minha vida?". Precisamos escolher o que desejamos que cresça na vida das pessoas ao redor. Se semearmos para a carne, colheremos corrupção. Se semeamos para os próprios desejos, colheremos corrupção. Mas, se semearmos para o Espírito, colheremos vida eterna.

Muitas pessoas pensam que vida eterna se refere unicamente à existência após a morte física. Mas a vida eterna começa no momento em que você recebe Jesus como seu Senhor e Salvador. Você já vive a vida eterna agora! Se você semeia para o Espírito agora mesmo, viverá desde já com todo o poder que ele pode lhe dar e não apenas depois que morrer. É o agora que faz a diferença na sua vida. Por outro lado, a ambição egoísta cria o caos.

> Pois onde há inveja e ambição egoísta, também há confusão e males de todo tipo.
> Mas a sabedoria que vem do alto é, antes de tudo, pura. Também é pacífica, sempre amável e disposta a ceder a outros. É cheia de misericórdia e é o fruto de boas obras. Não mostra favoritismo e é sempre sincera. E aqueles que são pacificadores plantarão sementes de paz e ajuntarão uma colheita de justiça.
> Tiago 3.16-18

A generosidade não é fingida. Já o egoísmo usa máscaras. Portanto, fazer a diferença na vida no próximo, a quem devemos amar, é um caminho mais puro e sincero.

Essa é uma proposta com desdobramentos extremamente práticos. Por exemplo, será que você tem feito a diferença no combate à violência urbana? Talvez você me pergunte como poderia fazer a diferença em uma questão tão complexa, que depende tanto da força da lei. A realidade é que a forma mais eficiente de combater a violência não é a repressão: é a paz. E semear paz na vida de outras pessoas é uma opção. Um programa chamado *Peacebuilders* foi implementado em uma zona de conflitos em uma região da Califórnia e conseguiu impactar positivamente a comunidade. Esse programa é sustentado por alguns pilares: elogiar as outras pessoas, abandonar as críticas e as humilhações, seguir gente sábia, falar sobre as feridas que causou, consertar os erros e ajudar os outros. Essa é uma bela forma de construir a paz e depende unicamente de iniciativas pessoais!

Por favor, pense no ambiente em que vive. Se você transita habitualmente em um ambiente conflituoso, sugiro que pegue esses quatro pontos e os considere, porque, se você escolher fazer a diferença e se tornar uma promotora da paz, pode semear sementes de paz. Com isso, você se tornará uma pacificadora bem-aventurada! Quando semeamos paz, a vemos se multiplicar, pois paz produz paz — é a lei da semeadura. O resultado é multiplicação.

Acredito piamente que as pessoas alcançadas e beneficiadas pelos seus gestos reproduzirão a sua boa ação. Essa é uma escolha, e uma escolha que você pode fazer. Quero encorajá-la a acreditar em si mesma, sabendo que pode fazer a diferença.

Se você tem sido egoísta, quero desafiá-la a semear ações generosas na vida de quem a cerca. Acredito piamente que as pessoas alcançadas e beneficiadas pelos seus gestos reproduzirão a sua boa ação. Essa é uma escolha, e uma escolha que você pode fazer. Quero encorajá-la a acreditar em si mesma, sabendo que pode fazer a diferença.

E lembre-se do mandamento bíblico: "Não sejam egoístas, nem tentem impressionar ninguém. Sejam humildes e considerem os outros mais importantes que vocês. Não procurem apenas os próprios interesses, mas preocupem-se também com os interesses alheios" (Fp 2.3-4). Você não deve buscar meramente seus interesses, mas os dos outros. Você tem um universo pessoal no qual pode fazer a diferença, e ele, por sua vez, pode fazer a diferença no mundo ao redor. Portanto, não espere mais. Mãos à obra!

> – Vamos orar –
>
> *Pai, quero fazer a diferença, de modo positivo, na vida das pessoas. Escolho ajustar minha perspectiva e maximizar cada oportunidade, por menor que seja. Obrigada por aperfeiçoar minha perspectiva. Comprometo-me a aproveitar melhor cada momento.*
>
> *Senhor, por favor, aumenta minha influência à medida que escolho fazer a diferença. Peço que cada pessoa que eu impactar receba poder e se sinta compelida a fazer a diferença na vida de outros, acreditando neles e os incentivando. Meu tempo não é igual ao teu. Ajuda-me a estruturar minha vida, incluindo o serviço, de maneiras que farão a diferença. Confio que, ao fazer isso, serei inundada de satisfação.*
>
> *Em nome de Jesus eu oro. Amém.*

# 7
Escolha enfrentar seus medos

Medo não é algo que algumas pessoas têm e outras não. De tempos em tempos, todas somos confrontadas com situações que provocam temores em graus diferentes. O medo faz com que recuemos, minando nosso potencial de viver em plenitude. Não importa a área em que o medo a ataque, sempre haverá uma emoção que fará você recuar, em vez de levá-la a progredir. Talvez você não seja uma pessoa habitualmente medrosa, mas alguma coisa pode ter acontecido e, de repente, você passou a sentir insegurança e incerteza. Se foi o caso, você faz parte de uma multidão de pessoas em todo o planeta que estão acuadas pelos mais variados tipos de medo.

Há muitas razões para essa epidemia de medo, como o crescimento da violência e do crime, a destruição da família, as ameaças à liberdade de religião e outras. Quando perdemos a segurança, somos inundados por medo. E o pior é que o medo é contagioso: se você convive com pessoas medrosas, é capaz que se torne medrosa também. Lembro que, quando me mudei para uma casa nova, recebi muitas informações de que o novo bairro era perigoso. Por isso, fiquei com muito medo. A casa tinha sistema de segurança e fazia muitos ruídos. Logo na primeira semana morando ali, meu marido precisou viajar por uma semana. Fiquei apavorada. Não porque eu fosse uma pessoa medrosa, mas porque fui contagiada pelo que me disseram. Por essa razão, decidi enfrentar os meus temores.

Escolher enfrentar os seus medos é a atitude mais libertadora que você pode tomar. Quanto mais cedo você fizer isso, mais rapidamente conseguirá sair desse estado de espírito paralisante e menos devastador ele se tornará. Pense comigo: se você está com medo de algo, o que costuma fazer? Geralmente, a pessoa corre! Meu desejo é equipar você para que, quando o medo sobrevier sobre a sua vida, consiga não fugir, mas enfrentá-lo e vencê-lo!

Escolher enfrentar os seus medos é a atitude mais libertadora que você pode tomar. Quanto mais cedo você fizer isso, mais rapidamente conseguirá sair desse estado de espírito paralisante e menos devastador ele se tornará.

O medo nos afeta em níveis diferentes. O primeiro é o global, relacionado a crimes, guerras, colapsos econômicos e outros males do tipo. Outro nível é o pessoal, que envolve medos relacionados a pensamentos, emoções, memória e imaginação. Esse mundo interno é, principalmente, o que deixará você debilitada. Para combater esses temores, precisamos recorrer às Escrituras.

Para ajudá-la a lidar com os medos que a assolam, gostaria de chamar atenção para o que escreveu o autor de Hebreus: "Pois a palavra de Deus é viva e poderosa. É mais cortante que qualquer espada de dois gumes, penetrando entre a alma e o espírito, entre a junta e a medula, e traz à luz até os pensamentos e desejos mais íntimos" (Hb 4.12). Sim, a maior arma contra os medos que a paralisam é a Palavra de Deus, pois suas verdades podem penetrar em sua estrutura e cortar fora o medo.

Hebreus vai além: "Visto, portanto, que temos um grande Sumo Sacerdote que entrou no céu, Jesus, o Filho de Deus, apeguemo-nos firmemente àquilo em que cremos. Nosso Sumo Sacerdote entende nossas fraquezas, pois enfrentou as mesmas tentações que nós, mas nunca pecou" (Hb 4.14-15). Fica claro que tudo o que você já temeu no fundo de seu ser Jesus também temeu. Ele experimentou nossas emoções e fraquezas e foi tentado em todas as coisas. Isso mostra que temos alguém que nos entende emocionalmente, sempre pronto a nos socorrer em meio aos temores da vida.

Portanto, quanto mais você recorre às Escrituras e se torna íntima de Jesus, menos medo você sentirá, pois estará sempre amparada e cuidada.

Livre do passado e da imaginação nociva

Os medos relacionados à memória são aqueles que conectam temores do passado ao tempo presente, fazendo com que circunstâncias que vivemos, às vezes, décadas atrás se manifestem nos dias atuais na forma de fobias e pavores. Com relação a isso, as Escrituras nos oferecem novamente uma resposta:

> Não estou dizendo que já obtive tudo isso, que já alcancei a perfeição. Mas prossigo a fim de conquistar essa perfeição para a qual Cristo Jesus me conquistou. Não, irmãos, não a alcancei, mas concentro todos os meus esforços nisto: *esquecendo-me do passado e olhando para o que está adiante, prossigo para o final da corrida*, a fim de receber o prêmio celestial para o qual Deus nos chama em Cristo Jesus.
>
> Filipenses 3.12-14

Você pode fazer isso! Não viva mais no passado. Não importa o que fizeram a você, o passado é passado e acabou! Paulo nos diz para esquecermos do que passou, porque, enquanto nos apegarmos a essas memórias, nos tornaremos receosas de prosseguir. Se o medo prende você, é possível até que consiga dar alguns passos, mas haverá um momento em que ficará paralisada em decorrência daquela memória.

A imaginação é outra fonte de medos. Paulo escreveu: "Destruímos todas as opiniões arrogantes que impedem as pessoas de conhecer a Deus. Levamos cativo todo pensamento rebelde e o ensinamos a obedecer a Cristo" (2Co 10.5). Já ouvi dizer que 99% dos nossos medos na realidade nunca acontecerão. Então, muitas vezes, sofremos desnecessariamente, especulando que algo ruim pode acontecer sem que venha a se tornar um fato.

Um exemplo clássico é o medo de andar de avião. É claro que sempre há a possibilidade de a aeronave em que você está viajando cair, mas, se compararmos as estatísticas de acidentes aéreos com as dos acidentes automobilísticos, chega a ser ridículo ter medo de voar. E, cá entre nós, se chegou a sua hora de morrer, você morrerá de qualquer forma! Afinal, Deus controla a vida e a morte. Isso não tem a ver com pegar ou não o avião. Uma aeronave não controla nem preserva a sua vida, Deus sim! Ele faz as coisas acontecerem como lhe apraz. Se chegou a sua hora de partir, segundo a vontade divina, e você decide não viajar, adivinhe o que vai acontecer, mesmo trancada no seu quarto? Sinto muito desapontá-la, mas, se chegou a sua hora e você não quer andar de avião, o Senhor arranjará outro meio para levá-la à presença dele.

Já ouvi dizer que 99% dos nossos medos na realidade nunca acontecerão. Então, muitas vezes, sofremos desnecessariamente, especulando que algo ruim pode acontecer sem que venha a se tornar um fato.

Sim, a imaginação cria muitos de nossos medos. Portanto, se destruirmos os pensamentos amedrontadores, destruiremos argumentos para que tudo esteja de acordo com o conhecimento de Deus. A imaginação cria riscos que não existem e nos aprisiona muitas vezes em emoções negativas desnecessárias. Devemos acabar com a especulação, porque a imaginação cria coisas que realmente não estão acontecendo.

Você sabia que um medo crônico pode indicar que algo precisa ser revisto em seu relacionamento com Deus? A única forma de curar o medo irracional é aceitar o profundo amor de Cristo.

O amor de Deus e o temor a ele

Somente o profundo amor de Deus pode libertá-la do medo. Por quê? Porque a maioria dos nossos medos tem início em áreas marcadas pelo desamor. Como assim? Deixe-me dar um exemplo: a sensação de rejeição e abandono nos primeiros anos de vida pode levar ao surgimento de muitas áreas na vida em que o medo se torna constante. Se, durante seus anos de infância, você é sempre a última criança a ser escolhida para formar o time de vôlei, vez após vez, com o tempo isso a faz se sentir rejeitada, o que gera o medo de estar numa situação que envolva escolhas. O resultado é que você cresce e não quer se colocar naquela posição de ser rejeitada, porque sentiu-se abandonada, desnecessária. Qual é a solução para esse medo? O amor de Deus.

Sim, o amor de Deus é o antídoto para o medo! Lembre-se de que Jesus pagou com seu sangue o preço para ter você na presença dele por toda a eternidade. Como se sentir rejeitada diante dessa verdade? É claro que, como Satanás deseja manter você acorrentada a cadeias de medo paralisante, fará de tudo para que você se esqueça de quanto seu Pai celestial a ama e a aceita. O diabo quer mantê-la separada do amor de Deus e, com esse objetivo, o medo será um instrumento poderoso em suas mãos, caso você não se apegue às verdades bíblicas que revelam o extraordinário amor do Senhor por você!

Não importa a circunstância, a situação ou o sentimento. Não importam as memórias do passado nem as mentiras que sua imaginação lhe contou. A realidade é que Deus pode libertá-la dos seus medos por meio de sua presença e seu poder, revelados por seu amor. Compreender essa realidade é libertador. Muitas tentam se livrar de seus medos longe do amor de Deus e, por essa razão, não conseguem ficar totalmente libertas.

Para vencer os nossos temores, precisamos procurar estar não lado a lado com Deus, mas face a face com ele. Em outras palavras, devemos procurar desenvolver o máximo de intimidade possível com o Pai. Quando isso ocorre, ele nos diz: "E quero que você saiba que nunca a deixarei, jamais a abandonarei. Eu sempre escolherei você para estar no meu time". Sempre haverá lugares em nossa vida em que alguém não nos escolherá, mas Deus não. "Eu nunca a deixarei. Nunca! Você pode se sentir indigna, mas desejo que você saiba que minha graça lhe é estendida! Não importa o seu passado nem o seu presente, na cruz foram feitas novas todas as coisas. Saiba que caminho sempre com você e não a deixarei." É a segurança de saber que Deus está com você que acabará com o senso de abandono e isolamento que a leva a sentir medo.

O diabo quer mantê-la separada do amor de Deus e, com esse objetivo, o medo será um instrumento poderoso em suas mãos, caso você não se apegue às verdades bíblicas que revelam o extraordinário amor do Senhor por você!

O entendimento dessa realidade nos faz sair de um estado de medo debilitante para o de um saudável temor de Deus. Eu cresci em uma igreja em que se ensinava com muita propriedade o temor do Senhor. Muitas vezes, quando jovem, foi esse temor que me levou a fazer escolhas acertadas. Havia coisas que eu queria experimentar, pois pareciam divertidas, mas fui ensinada no temor de Deus de forma tão saudável que conhecia seu juízo e seu amor. Por essa razão, evitava a todo custo sair do propósito de Deus para mim.

O temor do Senhor foi o que trouxe o amor de Deus à minha vida, numa dimensão maravilhosa, que eu jamais experimentara antes. Claro que isso pressupõe obediência de nossa parte, pois ela demonstra nosso respeito por ele. Quando escolhemos agradar a Deus primeiro, nossa opção elimina a necessidade de agradar todo mundo — o que, por sua vez, nos liberta de uma quantidade inumerável de medos.

Não devemos fazer nada pensando em impressionar alguém mais do que a Deus. Caso contrário, nossas motivações serão humanas. Se você é motivada por aceitação de homens, por exemplo, na verdade está temendo a rejeição deles. Como escritora, eu não posso ser motivada pela sua aceitação do que estou escrevendo neste livro, caso contrário, tentarei agradar e não lhe darei aquilo de que você precisa. Quando você tenta agradar todos ao redor, na maioria das vezes não está se

Quando você tenta agradar todos ao redor, na maioria das vezes não está se esforçando para agradar a Deus em primeiro lugar. Se você busca agradar prioritariamente ao Senhor, tenha a certeza de que, por mais que as pessoas a rejeitem, o seu Senhor não a rejeitará. E esse amor a livrará do medo.

esforçando para agradar a Deus em primeiro lugar. Se você busca agradar prioritariamente ao Senhor, tenha a certeza de que, por mais que as pessoas a rejeitem, o seu Senhor não a rejeitará. E esse amor a livrará do medo.

Lembre-se de que, no processo de se aproximar do Senhor e vencer os medos, a graça divina está em ação. É por causa da graça, somente, que somos fortalecidas e amparadas para seguir pelo caminho correto. Nossas vitórias não são mérito nosso, mas de Cristo, por meio de seu sangue derramado na cruz. Pela graça de Deus somos o que somos e conseguimos avançar e superar nossas dificuldades. Não importa o que você viveu no passado! Hoje, você pode derrotar os traumas que a paralisaram, por mérito exclusivo do Cristo que nos estende sua graça. Não há do que ter medo!

Dom de Deus

Outro aspecto do medo em nossa vida é que ele acaba fazendo com que sintamos um senso de inadequação. Você já desejou fazer alguma coisa, mas não seguiu adiante por ter se sentido incapaz, inadequada? Pois tenho boas notícias: você é capaz! Todos nós, seres humanos, somos.

É claro que nenhuma de nós é totalmente preparada para fazer tudo, há várias áreas nas quais somos inadequadas, uma vez que não fomos criadas pelo Senhor com dons e talentos para tudo. Estou me referindo a realizar aquilo que Deus nos chamou para fazer, pois, se ele chamou, também nos capacitará. O Senhor nunca nos chama a fazer algo que não nos prepara para levar até o fim.

Quando Larry e eu nos mudamos para uma pequena cidade chamada Camp Hill, logo em um dos primeiros cultos de que participamos vimos uma moça que se levantou e cantou. Ela era bastante tímida e não se projetava, pois se sentia muito incapaz. Meu marido a ouviu ensaiar e a convidou para fazer um solo. A jovem disse: "Não, eu não sou solista. Apenas canto com o grupo". Mas aquela moça tinha voz de anjo, maravilhosa! Todavia, por causa de seu sentimento de inadequação, ela se sentia muito limitada. Larry, então, teve uma pequena conversa com ela:

— Há algum cantor em sua família?
— Não.
— Há algum artista em sua família?
— Não.
— Há algum músico em sua família?
— Não!
— Você estudou música?
— Não!

Larry, então, lhe disse:

— Quero que saiba que você tem um dom que Deus lhe deu. Esse dom não é hereditário, não lhe foi transmitido geneticamente. É um dom divinamente concedido: uma voz que, se for desenvolvida, será usada para ministrar a milhares de pessoas.

Nos oito anos em que estivemos naquela comunidade, vimos aquela moça superar seu medo a tal ponto que se tornou nossa solista principal. Vimos sua confiança em Deus crescer e o poder do Senhor aperfeiçoar aquele dom. Assim como ela, todos temos talentos que Deus nos concedeu. Você também tem. Portanto, do que você tem medo?

Sim, por si só, você é incapaz. Mas você tem um dom e Deus quer usá-lo para a sua glória e a edificação de sua Igreja! Todavia, para isso, você precisa decidir superar seus temores.

Longe de Deus, você não pode fazer nada, mas, com o fluir do amor e do poder de Deus em sua vida, você consegue.

É importante saber que o medo provocado pelo sentimento de incapacidade pode ser fonte para o desencorajamento ou o começo de uma nova etapa, cheia de coragem e ousadia em sua vida. Você realmente quer viver desencorajada pelo resto da sua jornada na terra? Ou prefere enxergar sua incapacidade como o ponto de partida para a coragem? Lembre-se do que Paulo escreveu: "Pois Deus não nos deu um Espírito que produz temor e covardia, mas sim que nos dá poder, amor e autocontrole" (2Tm 1.7).

Quando Deus nos dá autocontrole, também nos dá segurança. Ele faz com que pensemos pela mente de Cristo, o que libera o seu amor sobre nós e poder em nossa vida. Uma mente sadia, em sintonia com a mente de Cristo, é uma mente curada. O poder de Deus trabalha em nós e nas nossas capacidades individuais. Se você tenta viver por sua própria força, sempre se sentirá, de algum modo, inadequada. Mas o poder de Deus é capaz de impulsioná-la a lugares a que nem sonha chegar.

> *É importante saber que o medo provocado pelo sentimento de incapacidade pode ser fonte para o desencorajamento ou o começo de uma nova etapa, cheia de coragem e ousadia em sua vida.*

Não deixe que seu senso de dignidade dependa de outros. A insegurança nos paralisa sempre que nos submetemos à opinião de terceiros, mas a única opinião que importa de fato é a que Deus tem a seu respeito. Quando você o agrada, está segura. Quando nos abrigamos nessa segurança, algo acontece. O que uma vez foi medo, torna-se força produtiva, positiva, capaz de feitos inimagináveis. Quando você supera o medo e se torna segura acerca de quem Deus é em sua vida, ele a enche com o seu poder e, quando isso acontece, você começa a se ver realizando coisas que jamais pensou ser capaz. Paulo escreveu: "Não vivam preocupados com coisa alguma; em vez disso, orem a Deus pedindo aquilo de que precisam e agradecendo-lhe por tudo que ele já fez. Então vocês experimentarão a paz de Deus, que excede todo entendimento e que guardará seu coração e sua mente em Cristo Jesus" (Fp 4.6-7).

Sim, Deus capacita você. Logo, do que você tem medo? Eu a desafio a enfrentá-lo. E faça isso sabendo que não precisa viver preocupada com coisa alguma, pois a paz de Deus, que excede todo entendimento, guardará seu coração e a sua mente em Cristo — e isso sempre, inclusive na próxima vez em que o medo tentar atacá-la. Deus é mais forte que seu medo.

Por isso, ele lhe diz: *coragem, não tema!*

– Vamos orar –

Pai, hoje eu entendo o medo com base em uma perspectiva saudável. Meu coração e minha mente já transbordaram de medo por causa de situações traumáticas. Permiti que o medo me dominasse, me levasse a controlar os outros e a não confiar neles.

Hoje, eu escolho enfrentar cada medo. O medo não me dominará mais. Posso vencer os temores com a ajuda do Espírito Santo. Quero romper com a situação de paralisia na qual me encontro e prosseguir na jornada que tens para mim.

Peço-te que me ajudes a renovar a mente. Auxilia-me a quebrar os padrões que, controlada pelo medo, desenvolvi. Escolho confiar em ti para todas as coisas e abrir mão de minha necessidade de controle.

Em nome de Jesus eu oro. Amém.

8
Escolha viver de maneira criativa

Deus falou e o mundo veio a existir. Isso fala de um processo criativo extraordinário, que começou no coração do Todo-poderoso e fez com que do nada se fizesse tudo. Portanto, Deus é a fonte e a origem de toda criatividade. Se nós, seres humanos, queremos viver de maneira criativa, precisamos beber dessa fonte. E a forma para se conectar ao manancial da criatividade é a oração.

De que forma isso acontece? Simples: quão mais perto você estiver do coração de Deus, mais da natureza criativa dele transbordará e se manifestará na sua natureza humana. É maravilhoso o que acontece quando eu passo tempo com o Senhor e seu poder criativo começa a iluminar as ideias da minha mente. Se você pensar sobre sua vida, verá as várias formas pelas quais a verdadeira criatividade se manifesta. Portanto, quanto mais íntima de Deus você for, mais começará a desenvolver o dom da criatividade em sua vida.

Para irmos além no entendimento dessa realidade, quero lhe contar a história de uma mulher chamada Acsa. Ela era a filha de Calebe e surge no relato bíblico no capítulo 15 de Josué:

> Por ordem do SENHOR, Josué designou uma porção no meio do território de Judá para Calebe, filho de Jefoné. Calebe recebeu a

cidade de Quiriate-Arba (isto é, Hebrom), assim chamada por causa de Arba, um antepassado de Enaque. Calebe expulsou três grupos de enaquins: os descendentes de Sesai, de Aimã e de Talmai, filhos de Enaque.

Dali ele partiu para lutar contra os habitantes da cidade de Debir (antes chamada de Quiriate-Sefer). Calebe disse: "Darei minha filha Acsa em casamento a quem atacar e tomar Quiriate-Sefer". Otoniel, filho de Quenaz, irmão de Calebe, tomou a cidade, e Calebe lhe deu Acsa como esposa.

Quando Acsa se casou com Otoniel, ela insistiu para que ele pedisse um campo ao pai dela. Assim que ela desceu do jumento, Calebe lhe perguntou: "O que você quer?".

Ela respondeu: "Quero mais um presente. O senhor me deu terras no deserto do Neguebe; agora, peço que também me dê fontes de água". Então Calebe lhe deu as fontes superiores e as fontes inferiores.

Josué 15.13-19

Calebe era muito rico. Quando Acsa estava para se casar com Otoniel, chegou a hora de o casal receber o dote de casamento. As Escrituras dizem que Calebe deu a terra de Neguebe, que era um deserto. Por que um homem rico como Cabele, que tinha muitos recursos, campos e cidades inteiras, não deu um dote melhor à família de sua herdeira? Calebe poderia ser visto nessa história como uma alegoria de Deus e Acsa, dos filhos e filhas de Deus.

É possível que você olhe para a sua vida e diga: "Deus, minha vida é um deserto. E eu não entendo por que o Senhor me colocou nesta situação. Não é justo". Você tem a percepção de estar sendo injustiçada quando olha para o outro lado da rua e vê sua vizinha bonita e brilhante, sem enfrentar as lutas pelas quais você passa. Talvez faça comparações entre o que tem e o que outras pessoas possuem e fique chateada pelo que constata. É possível que compare o seu carro com o da vizinha, as suas roupas e a sua casa com as dela e chega à conclusão de que não lhe está sendo feita a justiça devida. Seja sincera: você já se sentiu assim?

Lembro-me de quando Larry e eu servíamos em Washington e tínhamos uma equipe grande. Entre eles, muitos casais que estavam no mesmo estágio da vida, com praticamente a mesma idade, alguns já com o primeiro bebê e outros, não. Todos ganhavam salários muito semelhantes. Percebíamos que alguns deles realmente eram muito prósperos, pois o que ganhavam parecia se multiplicar em termos de estilo de vida e na escolha do lugar para morar. No entanto, havia um casal que enfrentava luta após luta e a esposa reagia com muita amargura ao fato de morarem em um lugar de que ela não gostava. Enquanto aquela jovem de nossa equipe se ressentia, nada mudava em sua vida. Nada do que eles tocavam parecia prosperar. O exemplo daquele casal é típico de gente que fica ressentido com o que tem. Esse não é o caminho! Precisamos usar os recursos que Deus nos deu de forma criativa a fim de mudar as situações que nos desagradam.

Precisamos usar os recursos que Deus nos deu de forma criativa a fim de mudar as situações que nos desagradam.

Eu decidi, então, conversar com aquela moça. Fui até sua casa, nos sentamos, eu abri a Bíblia e li Mateus 25. Em seguida, começamos a conversar. Quando entrei naquela residência, não fazia ideia do que encontraria, porque aquela era uma jovem muito reservada. Era educada, seu marido era um músico incrível e criativo, e eles serviam com muita dedicação ao ministério, à igreja e às pessoas. Eram maravilhosos e especiais e era muito bom estar com eles. Mas era interessante, porque nunca convidavam ninguém para ir à sua casa, eles simplesmente não eram hospitaleiros.

Quando cheguei lá, entendi por que não convidavam ninguém: a casa era muito suja e bagunçada. Havia pelos de cachorro por todo canto, a louça da cozinha estava suja dentro da pia... enfim, era o caos. Não havia razão visível para aquela bagunça e confusão.

Senti, então, que deveria voltar àquela casa para que pudéssemos limpá-la totalmente, cômodo a cômodo. E eu a ajudei, porque era muito cansativo para ela fazer aquilo sozinha. Ao final, a casa ficou brilhando! A partir daquele dia, Deus começou a mudar a vida daquela jovem, de dentro para fora. Ela começou a ver o que possuía de forma totalmente diferente. Foi maravilhoso ver a criatividade que começou a florescer nela. A fonte dessa criatividade? A presença de Deus em seu ser. Foi quando eu lhe disse: "Querida, se tão somente você pegar o que tem e for fiel, tudo mudará!". E ela aprendeu o princípio de Mateus 25, que diz que aquele que é fiel nas pequenas coisas governará as grandes (Mt 25.14-30).

A partir daqueles dias, começamos a ver uma grande transformação na vida daquela garota, um testemunho poderoso! Como disse Henry Ford: "Se você pensa que consegue ou pensa que não consegue, você está certo".

Deserto e jardim

Lembre-se de que há um poder criativo divino que trabalha em seu interior, capacitando-a a pegar um deserto e transformá-lo em algo melhor. Esse, acredito, foi o propósito de Calebe ao dar para Acsa terrenos desérticos. Suponho que a razão de ele não ter entregue de mão beijada para a filha um campo melhor tenha sido seu desejo de ver o que ela poderia fazer com aquilo, usando sua criatividade.

Acsa estava zangada com o fato de Calebe ter-lhe dado um deserto infértil. Isso a estava aborrecendo. Assim como ela, você já recorreu ao seu Pai a fim de que a situação fosse mudada? Já orou algo como "por favor, mude minhas circunstâncias, pois não gosto de meu emprego, eles não pagam bem"? Ou "não gosto de minha casa, preciso de mais um quarto"? É comum que façamos isso. Porém, veja o que aprendemos com a Bíblia.

Assim que Acsa e Otoniel chegaram à presença de Calebe, alguma coisa aconteceu no coração dela. Porque, tão logo se viu diante do pai, desistiu de pedir um campo diferente do que tinha recebido. Ela abriu mão de suas reclamações. Em vez disso, pediu algo com que pudesse, criativamente, prosperar em meio ao deserto: fontes de água. O que de melhor do que água um pai poderia dar à filha que ganhou um deserto? Água era o mais importante recurso que ela poderia ter para fazer algo criativamente, dadas as circunstâncias em que se encontrava.

Calebe, então, lhe disse: "Claro, filha, eu vou abençoá-la! Não apenas lhe darei as fontes superiores, mas, também, as inferiores". Em outras palavras, Calebe disse: "Eu lhe darei um suprimento inesgotável, recursos que a capacitarão a mudar suas circunstâncias negativas, mediante a criatividade". É interessante que, se você viaja a Israel em nossos dias, vê que a terra de Neguebe não é mais um deserto. Há verde e exuberância, árvores, vida e subsistência. O que Acsa fez? Analisou as circunstâncias desfavoráveis e, de forma criativa, demonstrou que era possível transformar aquela terra árida. Ela usou seu potencial criativo.

É importante que você capte essa verdade, pois ela mudará a forma como enxerga cada situação e circunstância, não importa quão negativa, tensa ou estressante seja. Por que Calebe fez aquilo? Eu só posso conjecturar, porque a Bíblia não diz. Mas acredito que ele sabia qual era o potencial criativo de Acsa. Caso contrário, ela seria como uma criança rica que cresceu com tudo nas mãos, mas não aprendeu a trabalhar e a ser criativa, tornando-se mimada e acomodada. Como Calebe era rico, Deus lhe deu a sabedoria para que não desse tudo a Acsa, porque sabia qual era o potencial dela. Calebe era um bom pai. O resultado é que sua filha transformou um deserto em um jardim.

O que Acsa fez? Analisou as circunstâncias desfavoráveis e, de forma criativa, demonstrou que era possível transformar aquela terra árida. Ela usou seu potencial criativo.

Entenda que a criatividade começa pela forma como você enxerga as coisas. Você não deve avaliar as circunstâncias como elas são, mas pelo que podem vir a ser. Quando você chega em casa e começa a vê-la não como é, mas como gostaria que ela fosse, Deus lhe dá os recursos para mudar todo o caos de forma criativa. Ao usar sua criatividade, você conseguirá transformar o caos de um deserto seco em uma terra florida.

Há muitas formas de limitar a criatividade. Deixar-se vencer pelo medo de falhar é uma delas. Viver fazendo comparações é outra. Ou dar vazão à preguiça, porque criatividade envolve trabalho. A insegurança também é danosa ao seu poder criativo, pois é preciso acreditar em si mesma e nas próprias escolhas e decisões. Ideias preconcebidas também prejudicam a criatividade, como a ideia de que você não é criativa. Viver de forma enraizada também impede a criatividade, que precisa de flexibilidade para ser posta em ação. E por aí vai. O que você precisa saber é que sempre haverá muitos obstáculos ao exercício de sua criatividade.

Porém, assim como foi com Acsa, você pode usar muitos recursos a fim de superar as dificuldades e as limitações. Lembre-se de que João Batista, por exemplo, foi uma voz no deserto, não o eco de outra voz. O que isso significa? Que Deus abençoa e honra a originalidade. Devemos ser compiladoras. Um compilador obtém informações, busca inspiração e, com esses recursos, cria. A pessoa que copia, por sua vez, perde a identidade, e isso não agrada ao Senhor. Ele quer originalidade de nossa parte.

> *Assim como foi com Acsa, você pode usar muitos recursos a fim de superar as dificuldades e as limitações.*

É muito bom para nós quando somos chamadas a fazer algo por nós mesmas. Muitas pessoas se acomodam e questionam: "Por que reinventamos as coisas?". Eu respondo: se não reinventamos, não temos progresso. Reinventar traz algo novo e fresco, pois estimula a criatividade.

Quebre tudo

Nos Estados Unidos, há um ditado que diz: "Se não estiver quebrado, não conserte". Esse é um péssimo ditado! Se não está quebrado, quebre! É daí que a criatividade virá! Se você não muda a sua mentalidade, permanecerá sempre na mesma rota. Há muitas coisas na sua vida que não estão quebradas, mas você precisa quebrar. Talvez você mantenha o sofá encostado na mesma parede desde que a casa foi construída! É preciso reorganizar a casa se quiser ver algo novo e fresco.

Esse é um excelente exercício de criatividade, pois é uma tarefa que requer ação criativa.

Toda atividade que exige criatividade começa com sonhos, pois você precisa sonhar para ser criativa. Isso significa visualizar o que deseja ver mudado. Olhe para o que está inteiro e imagine como será quebrado e de que maneira o refará. Sonhos e desejos motivam criatividade. As Escrituras dizem: "Busque no Senhor a sua alegria, e ele lhe dará os desejos de seu coração" (Sl 37.4). Nós só alcançamos aquilo que desejamos, pois, se não desejarmos, nunca realizaremos.

Quando você deseja algo, precisa focar sua meta e os recursos começarão a fluir. Escreva! Ações criativas algumas vezes incluem o ato de escrever! Quando tenho uma ideia criativa, sempre tento pô-la no papel. Isso me ajuda a reter a ideia. Nem todas as ideias criativas são desejos e metas para mim, mas Deus começa a trabalhar nelas e me ajuda a entendê-las melhor.

É por essa razão que a oração é uma disciplina fundamental para a ação criativa, pois Deus é o manancial. É dele que brotam as águas da criatividade para inundar nossos desertos. Ações criativas não estão relacionadas apenas a fazer coisas e realizar tarefas, elas são a sabedoria de Deus mostrando a você como lidar com circunstâncias e situações da vida. Ele lhe ensinará e lhe mostrará criativamente o que dizer ou não — e no momento certo.

Ao usar sua criatividade, você conseguirá transformar o caos de um deserto seco em uma terra florida.

Um exemplo: quando meu filho tinha por volta de 13 anos, queria ouvir uma determinada banda de *rock*. Em vez de dizer: "Você não vai ouvir *rock*, não quero isso em casa", eu entrei em uma loja de

CDs e lhe disse: "Mostre-me o que você quer". Peguei o CD, li com ele algumas das letras das músicas e lhe perguntei: "É isso mesmo que você quer?". Ele fez uma careta e respondeu: "Mãe, eu só conhecia uma música desse grupo, que era muito legal. Eu queria aquela música, mas não esse CD". E o problema foi resolvido. Você vê como o Espírito Santo dá sabedoria? Sabedoria criativa sobre como lidar com as circunstâncias e as questões do dia a dia.

Isso se aplica a tudo: situações com o cônjuge, finanças, rotina, religiosidade e muito mais. Busque ao Senhor e deixe que ele a guie. Você verá que será incrível como ele providenciará as fontes de água, isto é, os recursos necessários para realizar as mudanças necessárias.

É importante que você saiba que a criatividade é estimulada por nossos sentidos. Quando você quer promover um ambiente criativo, digamos, transformando a sua casa, então busca nela o que estimula os sentidos. Um exemplo é a música, que afeta muito a criatividade. Então ligue seu aparelho de som! Nesse processo, é importante estimular positivamente os seus sentidos. Toques, cheiros, locais, sabores... é fundamental criar e desenvolver estímulos sensoriais. Ao fazer isso no ambiente em que você vive, a criatividade entrará em ação.

Recomendo que você comece dando uma volta por sua casa. Dedique uma tarde a estar na presença de Deus, abrindo seu espírito e sua mente a novos pensamentos e veja o que o Senhor começará a falar. Apenas caminhe pelos cômodos, em oração, e observe com gratidão tudo que você possui. Toque sua casa, olhe para ela de forma diferente, reorganize-a, mude-a, mova as coisas do lugar, acenda uma vela, crie uma nova sensação para transformar o ambiente. Assim, algo fresco começará a fluir.

Eu acredito em criar memórias em nossa casa. Isso é feito pelo que chamamos de rituais, atitudes repetitivas tomadas vez após vez. Você pode criar uma memória em particular com sua família criando uma tradição só sua. Pode ser algo a ser feito sempre no mesmo feriado, num aniversário, ou mesmo no último dia de aula... alguma coisa que você faz regularmente. Isso criará memórias em seus filhos a respeito de sua família e de seus valores. Tudo por meio da criatividade, capaz de elaborar tais tradições.

Você também pode criar áreas específicas na sua casa: uma para fazer embrulhos de presentes, com todos os materiais de que precisa; outro para orar e meditar, com sua Bíblia, um livro de inspiração e papéis para anotação. Coisas assim. Até para a comida isso é importante. Gastamos muitas horas de nossa vida nos alimentando; por essa razão, precisamos criar uma atmosfera relacionada à comida. Seu tempo dedicado às refeições são períodos maravilhosos para a criatividade ser abundante. Isso inclui o jeito de arrumar a mesa, o lugar onde você se senta para comer, a ordem das pessoas à mesa e por aí vai.

Criatividade está mais relacionada à forma como você dispõe as coisas do que à forma como as faz. Geralmente pensamos que precisamos ter algo a mais no intuito de sermos criativas, quando, na verdade, a criatividade usa o que está disponível. Quando vivemos de acordo com a natureza de Deus, por meio da criatividade, nos sobrevém uma profunda alegria. Com isso, você deixa de buscar contentamento em bens materiais, porque a alegria do Senhor passa a habitar no seu interior.

E isso... *ah*, isso é motivo de grande júbilo!

– Vamos orar –

Pai, tu és a fonte da criatividade. Reconheço que fui criada à tua imagem e semelhança e, por isso, carrego uma natureza criativa dentro de mim. Escolho usá-la. Quero fazer prosperar os recursos que me confiaste. Peço que expandas minha mente, para que eu pense de formas que jamais imaginei.

Dá-me novos conceitos e ideias. Abre minha mente para ti. Sintoniza meus ouvidos para escutar tua voz. Almejo descobrir coisas novas e desejo expressar a tua natureza por meio da minha criatividade. Eu nunca te limitarei, dizendo: "Não sou criativa"; pois tu serás criativo por meu intermédio.

Em nome de Jesus eu oro. Amém.

9
Escolha desenvolver a sua fé

Muitas mulheres cristãs têm deixado sua fé entrar em um estado de adormecimento. Há nelas um elemento de fé, mas seu potencial está espiritualmente adormecido. Se é o seu caso, quero desafiá-la a escolher sair desse estado. Meu objetivo com isso é que você leve sua fé a um novo nível, mais elevado.

A fé de cada pessoa encontra-se em determinado patamar, mais para perto daquilo que Deus deseja ou mais distante do ideal divino. Algumas de nós são bebês espirituais. Outras têm uma fé bastante sólida. Muitas, ainda, não têm entendimento sobre em que estão depositando sua fé. E você? Talvez ande com Deus há anos, tendo Jesus Cristo como seu Senhor e Salvador, mas ainda não o conheça como aquele que lhe dá paz. É possível que esteja confiando em outros recursos para lhe trazer equilíbrio, a fim de minimizar a ansiedade que sente, para ajudá-la a lidar com as questões do dia a dia.

Mas... o que exatamente é fé? Precisamos ter isso muito claro em nossa mente, pois não podemos desenvolver algo que não sabemos muito bem o que é. Para ajudá-la nessa reflexão, no intuito de levá-la a patamares mais elevados na espiritualidade, primeiro devemos entender o que significa exatamente a palavra *fé* no contexto bíblico. Nas Escrituras, ela é usada como uma forma ativa de "acreditar". No hebraico, em que foi escrita a maior parte do Antigo Testamento, o termo traduzido em português por "fé" significa "fidelidade". Em outras palavras, depositamos fé em Deus porque ele é fiel e digno de confiança. Podemos dizer que Abraão, por exemplo, foi um homem de fé por ter sido um homem fiel. Já no grego, em que foi escrito o Novo Testamento, o termo traduzido por "fé" significa "crédito" ou "confiança".

No capítulo da Bíblia que mais fala sobre fé, Hebreus 11, vemos várias vezes a citação de que determinadas pessoas tiveram fé, como Abraão, Enoque e outros. Isso significa que todos foram homens que confiaram no Senhor. Portanto, "fé em Deus" pode ser traduzido por "confiança inabalável em Deus". Assim, se queremos ter fé, devemos entender a fidelidade do Senhor. Ele não muda. É sólido. Confiável. O que Deus fez pelos profetas milênios atrás ele também pode fazer por você, hoje.

O que Deus fez pelos profetas milênios atrás ele também pode fazer por você, hoje. Quando temos esse entendimento, podemos dizer no meio da necessidade: "Deus, eu confio em ti. Tu és meu provedor".

Quando temos esse entendimento, podemos dizer no meio da necessidade: "Deus, eu confio em ti. Tu és meu provedor".

Conheço uma família cuja situação financeira ficou bem complicada. A crise chegou e o marido ouviu de seu chefe: "Este é o último salário integral que você receberá. Talvez a empresa vá à falência. Não sei se sobreviveremos. Por isso, seu salário terá de ser cortado em um terço". Aquela era uma família com muitos filhos. Pense sobre isso. Se você recebe três mil reais por mês, terá mil reais a menos por mês! Se você fosse chamada amanhã e soubesse que teria mil reais cortados do seu salário, tendo uma família com quatro filhos, o que faria?

Assim como aconteceu com aquela família, ao longo de sua vida, muitas vezes todas as circunstâncias podem mudar. Porém, Deus, o seu provedor, não muda. Portanto, você pode confiar nele. A fé diz: "Meu Deus é fiel a mim!". Para alcançarmos esse patamar, devemos ter consciência, sem sombra de dúvida, de que Deus é fiel.

Conexão sobrenatural

Quando Deus, por sua graça, nos salva, ele nos dá o Espírito Santo para habitar em nós. A partir desse momento, começa a produzir seu fruto em nossa vida: "amor, alegria, paz, paciência, amabilidade, bondade, *fidelidade*, mansidão e domínio próprio" (Gl 5.22-23). Perceba que as Escrituras afirmam que ele lhe dará fidelidade, porque o caráter de Deus inclui essa virtude.

É importante, nesse sentido, estarmos atentas ao fato de que podemos ter uma fé intelectual, mas não uma fé ativa. Você pode acreditar em fatos sem ativar a sua fé sobrenatural. Eu posso lhe perguntar: "Você acredita que a crucificação de Jesus é um evento histórico documentado?". Você responderia que sim, que acredita nisso. Eu posso perguntar a alguém que encontre na rua e a pessoa provavelmente dirá "sim". Então, há um nível de crença intelectual que não une você ao coração, ao caráter ou à natureza de Deus. Há um nível de crença, de fé racional, que, no entanto, não a torna herdeira do Senhor.

Meu pai sempre disse: "Você pode dormir em uma garagem, mas isso não fará você se tornar um carro". Do mesmo modo, você pode ir à igreja por toda a sua vida e ouvir intelectualmente fatos sobre Jesus Cristo, onde e quando ele nasceu, quanto tempo viveu na terra, quanto durou seu ministério e que mensagens ele pregou, mas sua fé não ultrapassar o nível do intelecto. É apenas uma convicção da mente, que não a conectou sobrenaturalmente a Deus. Inevitavelmente, quando sua fé é ativada, você se torna fiel a ele. Isso é o que chamo de fé ativa, a que gera fidelidade ao Senhor. É por isso que precisamos escolher desenvolver a nossa fé.

Neste ponto, você poderia me perguntar: e como escolhemos desenvolver a nossa fé na prática? A resposta é simples: escolhendo ser fiel a Deus! O que exatamente isso implica? Implica crer que Jesus Cristo é o Messias e que ele é o seu Senhor e Salvador. Esse é um ponto inicial para ativar a sua fé. E isso tem de ocorrer por meio do conhecimento da Palavra de Deus, como Paulo escreveu: "Portanto, a fé vem por ouvir, isto é, por ouvir as boas-novas a respeito de Cristo" (Rm 10.17). Se você escolher desenvolver fidelidade, ou desenvolver a fé, tem de zelar por tomar conhecimento da Palavra. Essa é uma parte fundamental do crescimento na fé.

Inevitavelmente, quando sua fé é ativada, você se torna fiel a ele. Isso é o que chamo de fé ativa, a que gera fidelidade ao Senhor. É por isso que precisamos escolher desenvolver a nossa fé.

Quando a pregação é cristocêntrica, isto é, põe Jesus no centro, no foco de tudo, ela desenvolve a sua fé. É o meio pelo qual Deus limpa, direciona e santifica o homem por inteiro. Esse fenômeno espiritual é extraordinário, pois, mediante a fé que vem por ouvir a Palavra, as promessas maravilhosas de Deus passam a abarcar tudo na vida, desde a nossa salvação eterna até o conflito com sua sogra. A Palavra tem efeito sobre seu casamento, seu caráter, sua natureza pecadora, a hiperatividade do seu filho... enfim, não há nada na vida de que a Palavra não trate. Ela é muito prática.

Quando a fé é ativada, a Palavra se torna realidade para você, porque sua mente passa a compreendê-la debaixo da ação do Espírito Santo. Como as Escrituras foram inspiradas pelo Espírito, elas só podem ser entendidas em profundidade mediante a interferência sobrenatural dele.

Até que a fidelidade de Deus a alcance, a Palavra não fará muita diferença para você. É por isso que precisa querer desenvolver a sua fé, pois ela influencia desde a sua salvação até a forma como você enxerga as coisas da vida.

Estímulo ao crescimento

A Bíblia relata certa ocasião em que Jesus estava com seus discípulos e começou a falar sobre perdão e fé. Em determinado momento, os apóstolos lhe pediram que fizesse a fé deles crescer. Ele, então, lhes disse: "Se tivessem fé, ainda que tão pequena quanto um grão de mostarda, poderiam dizer a esta amoreira: 'Arranque-se e plante-se no mar', e ela lhes obedeceria" (Lc 17.6).

Eu cresci na igreja e ouvi incontáveis sermões a respeito de ter a fé do tamanho de um grão de mostarda, isto é, uma fé muito pequena, minúscula. Mas, na realidade, não é isso que Jesus está ensinando. Para compreender o teor exato do ensinamento, precisamos comparar essa passagem com outra, que se encontra no Evangelho de Marcos, em que Jesus faz uma analogia ente o reino de Deus e um grão de mostarda:

> Jesus disse ainda: "Como posso descrever o reino de Deus? Que comparação devo usar para ilustrá-lo? É como uma semente de

mostarda plantada na terra. É a menor das sementes, mas se torna a maior de todas as hortaliças, com ramos tão grandes que as aves fazem ninhos à sua sombra".

Marcos 4.30-32

Na fala de Jesus registrada por Lucas, o Mestre não está nos ensinando que devemos ter uma fé minúscula. O que ele nos ensina é que devemos ter a fé como um grão de mostarda, semente que, mesmo sendo extremamente pequena, cresce bastante e está continuamente se desenvolvendo. Quando ela cresce, fica com ramos muito grandes e provê proteção, abrigo e um lar para os pássaros. A fé em sua vida dá segurança às pessoas ao seu redor. Se Jesus disse que nossa fé deve ser como um grão de mostarda, ele nos está estimulando a crescer. Isso ocorre quando se acredita na fidelidade de Deus. Portanto, a fé desenvolvida é estável e segura como a mostardeira.

A fidelidade a Deus desenvolve a confiança. Quando Jesus diz que a fé do tamanho de uma semente de mostarda é capaz de dizer a uma amoreira que se desloque sozinha, fica claro o poder da confiança originada em uma fé crescente e ativa. Seja qual for a circunstância ou situação, você poderá dizer: "Lança-te ao mar! Eu não quero isso na minha vida. Eu não quero essa árvore em meu jardim. Vá!". Sim, uma fé desenvolvida lhe dá a confiança para fazer isso. Não temos de lidar com autoestima quando temos fé crescente.

> *Se Jesus disse que nossa fé deve ser como um grão de mostarda, ele nos está estimulando a crescer. Isso ocorre quando se acredita na fidelidade de Deus. Portanto, a fé desenvolvida é estável e segura como a mostardeira.*

Fidelidade é um atributo de Deus e, também, de uma pessoa cheia de fé. Muitas pessoas têm medo de se comprometer com algo, pois não querem assumir a responsabilidade que aquele compromisso requer. Tudo o que fiz na vida foi consequência de um comprometimento pessoal com algo. Isso sempre me fez crescer em meu nível de comprometimento, o que promove disciplina pessoal e a reforça.

Quando eu e meu marido fomos pastorear uma igreja no estado do Texas, a Universidade do Texas estava a uma distância de cerca de 23 quilômetros de nossa igreja. Muitos jovens universitários passaram a frequentá-la. Até então, não tínhamos escola bíblica dominical nem pequenos grupos para eles, nada que realmente os reunisse e aproximasse. Nos primeiros três meses de pastoreio, Larry me perguntou: "Devi, você gostaria de assumir a escola bíblica dominical?". Diante daquele desafio, eu orei e disse ao Senhor: "Não sei ensinar! Além disso, não me sinto qualificada".

No entanto, a necessidade me fez assumir o compromisso de tornar-me a professora dos jovens na escola bíblica dominical. Essa decisão teve um resultado em minha vida: reforçou minha disciplina. Sempre tentei desenvolver a disciplina necessária para me tornar uma estudante da Palavra, mas, sem um propósito que me estimulasse a isso, era muito difícil para mim consultar livros, pesquisar em comentários bíblicos e realizar investigações voltadas a um tema específico, pois acabava priorizando outras atividades. Mas, uma vez comprometida, meu nível de fidelidade fez crescer em mim um ramo produtivo.

Com isso, descobri que eu tinha um dom concedido por Deus que nunca havia exercitado nem usado: o de ensinar. Descobri, naquela situação, que o Senhor me chamou e capacitou para ser mestre. Eu me comprometi, fui fiel e segui em frente, sem desistir. Nós começamos com dez estudantes e, em um ano, tínhamos cem alunos frequentando a escola bíblica dominical. Não é maravilhoso? Tudo aconteceu em consequência da fidelidade.

Fidelidade é uma prova de que Deus está trabalhando em sua vida. Seu caráter deve formar firmeza, fidelidade e amor. Provérbios 16.6 diz: "Amor e fidelidade fazem expiação pelo pecado; o temor do SENHOR evita o mal". Temos de ser pessoas fiéis, e comprometidas com a verdade!

Fé nas Escrituras é uma virtude para servos confiáveis. Eu gostaria de lhe perguntar: onde você tem falhado com Deus em sua fidelidade? Em qual característica do caráter e da natureza do Senhor você não tem acreditado? Fé ativada é confiança inabalável! Quando você descobre quem Deus é e sua fé é ativada por meio de obediência, ação e fidelidade, tudo muda!

Há decisões que você precisa tomar no intuito de desenvolver sua fé e guindá-la a um patamar mais elevado. As Escrituras dizem que a fé sem obras é morta. O que isso significa? Crença sem fidelidade. É crer intelectualmente sem aplicar o que você acredita às ações do dia a dia, à forma como vive, sem priorizar a Palavra de Deus, sem se comunicar com o Senhor. Se você não acrescenta obras, sua fé é inativa, isto é, uma crença baseada apenas em acúmulo de conhecimento. Mas as obras ativam a fé e a fazem viva.

Você não pode conhecer o poder de Deus em sua vida e viver de acordo com a carne. Para isso, precisa desenvolver a fé. Há uma herança espiritual para você, uma vida que jamais conheceu, promessas, paz e bênçãos emocionais e intelectuais. Tudo isso está disponível para você, desde que adicione obras à sua fé e, com isso, ajude a desenvolvê-la.

Portanto, não desanime! Vá em frente, busque ao Senhor, aproxime-se das Escrituras, transforme suas crenças em ações e desenvolva sua fé!

– Vamos orar –

Pai, obrigada por nos fazer compreender a fé. Escolho substituir meus temores pela fé, crendo e confiando em ti para tudo em minha vida. Tu és constante e digno de confiança. Creio que podes cuidar de mim e me guiar. Embora honres até uma fé do tamanho de um grão de mostarda, desejo mais. Quero conhecer-te em tua grandeza, tua majestade e teu esplendor.

Faço o propósito de transformar em prioridade de vida a leitura de tua Palavra, para que eu possa conhecer melhor os teus caminhos e que eles se tornem meus caminhos.

Tu és fiel. Escolho ser fiel, da mesma maneira, para que os outros possam confiar em mim. Quero tornar minha fé ativa — com obras — e experimentar um novo nível de espiritualidade.

Por favor, ajuda-me a desenvolver a fé, até alcançar dimensões sem medida. Eu te amo, Deus fiel.

Em nome de Jesus eu oro. Amém.

Conclusão

Peguei meu telefone e perguntei: "Siri, quantas escolhas eu faço por dia?". A Siri — assistente virtual de uma marca de *smartphones* — respondeu e me apresentou uma lista de *websites* e artigos para ler. A maioria dos autores desses textos — empresários, gerentes, escritores e, até, pesquisadores de universidades — concorda que fazemos até 35 mil escolhas por dia.

Isso me pareceu impossível, mas, então, fui até a cafeteira e a liguei. Decidi se queria chá ou café, qual tamanho de xícara usaria, se preferia adoçante ou açúcar. Enquanto o café gotejava, abri a máquina de lavar louça e decidi se a ligaria naquela hora ou se esperaria até depois do almoço, quando estivesse mais cheia. Precisei fazer mais de dez escolhas em menos de dois minutos!

Pense: toda vez que você acessa as redes sociais e passa pelo *feed*, decide se vai curtir as publicações ou não. E, agora, há ainda mais escolhas a fazer: pôr um *emoticon* de coração, rosto triste ou rosto feliz, e assim por diante. Simplesmente "curtir" não é mais suficiente; as escolhas foram multiplicadas.

Em nossa cultura, as escolhas diárias que precisamos fazer podem nos deixar extremamente sobrecarregadas. Mas existe uma solução para que você não caia naquilo que alguns profissionais chamam de "fadiga de decisão". A fadiga de decisão faz a pessoa terminar o dia exausta, sem fazer planos para um amanhã melhor. A fadiga de decisão a fará não pensar nas consequências ao ceder ao pedido dos filhos adolescentes de chegar mais tarde em casa ou a escolher não fazer nada, em vez de enfrentar o medo.

Criei para você o início de sua lista de "matriz de escolhas". Ao tomar cada decisão importante, mantenha como base as nove escolhas inteligentes para tornar sua vida melhor. Alguns pesquisadores indicam que fazemos 70 escolhas principais por dia. Filtre suas escolhas principais com base em sua lista pessoal. Veja como criar sua matriz de escolhas:

1. Elabore-a a partir da realização de uma série de perguntas. Você pode tirá-las de livros escritos para administradores de empresas ou da sua experiência pessoal (seus sucessos e fracassos).
2. Essa decisão está alinhada com seus valores?
3. Compreendeu todos os efeitos que essa decisão terá sobre seus relacionamentos?
4. Quem precisa influenciar para ter a certeza de que outros apoiarão sua decisão? (Suas escolhas sempre afetam os outros, de maneira positiva ou negativa).
5. Quais são as consequências da sua decisão nos próximos dez minutos? E em dez meses? E em dez anos?

O influente pastor americano Andy Stanley pergunta: "À luz das minhas experiências passadas, da situação presente e das esperanças e dos sonhos para o futuro, o que é o mais sábio a se fazer?". Já o palestrante motivacional Jim Rohn afirma: "Que as opiniões dos outros o instruam e informem, mas que suas decisões sejam fruto das próprias conclusões".

CONCLUSÃO

No fim das contas, cada uma de nós deve assumir a responsabilidade pelas escolhas que faz. Quando decidimos fazer escolhas mais inteligentes, nossa vida melhora. As perguntas que você coloca em sua matriz devem levá-la a analisar suas decisões de todos os ângulos, para que os pontos cegos emocionais também sejam percebidos.

Toda noite, eu programo meu amanhã, para que ele seja melhor. Não posso controlar o que acontecerá durante o dia, nem as decisões que precisarei tomar, mas posso controlar como começarei o dia. Aqui está minha lista de preparativos diários para um amanhã melhor:

1. Encerre o uso do telefone celular às oito horas da noite. Coloque-o para carregar, programe o despertador e tire-o de sua presença. Todos os seus familiares e amigos aprenderão que essa é sua rotina e vão se adaptar.
2. Diminua as luzes da casa, a fim de preparar o corpo e o cérebro para o sono. Leva cerca de uma hora para o corpo se adaptar da luz à escuridão. Isso a ajudará a dormir logo que se deitar. Vista roupas confortáveis.
3. Durante esse momento de luzes mais fracas, aproveite para ter um diálogo positivo com o cônjuge, se for casada, e para ler algo inspirador. Não é hora de ler mistérios ou dramas ficcionais.
4. Prepare-se para o dia seguinte. Escolha o que vai vestir logo cedo e o que vai comer no café da manhã.
5. Comunique a seu cônjuge qual é sua agenda e a que horas estará em casa. Fale também sobre quaisquer compromissos da família, atividades na igreja, eventos esportivos e programações dos filhos, para que não haja surpresas.

(Essa lista varia, dependendo da idade dos filhos, mas a maioria das ações permanece igual e deve ser um hábito inteligente para seus filhos seguirem também. Essas recomendações foram feitas para ser adaptadas por você. Não são regras para seguir sem questionar.)

Agora você está pronta para fazer escolhas mais inteligentes, que vão melhorar sua vida. Mantenha sua lista por perto, a fim de consultá-la sempre que estiver passando por mudanças.

Fico empolgada por ser uma pequena parte de inspiração nesse processo. Meu lema de vida é: *Sempre aprenda a melhorar*. E também pode ser o seu.

Sobre a autora

Devi Titus é autora e preletora internacional. É uma comunicadora premiada pela Washington Press Women's Association e fala para centenas de milhares de pessoas todos os anos. Casada com Larry Titus há 54 anos, é mãe de um casal de filhos, tem seis netos e onze bisnetos. Residente em Dallas/Fort Worth (Texas), Devi viaja extensivamente por todo o mundo.

Como parceiros no ministério, Devi e Larry Titus fundaram a organização internacional *Kingdom Global Ministries*, que atualmente serve mais de quarenta nações, visando facilitar a missão de dezenas de outros ministérios ao redor do mundo.

Devi é a fundadora do *Titus Home*, antiga *Mansão da Mentoria* e, por meio desse programa, já recebeu mais de mil mulheres para se hospedarem em sua casa por quatro dias, a fim de lhes ensinar princípios bíblicos e práticos acerca do lar.

Devi faz da passagem de Tito 2.3-5 a sua missão de vida para o ministério. Sua paixão é restaurar a dignidade e a santidade do lar e ajudar homens e mulheres a viver uma vida com propósito.

Obras da mesma autora:
A experiência da mesa
A mulher sábia edifica o lar
Ele diz, ela diz — com Larry Titus
Reflexos da alma — com Ana Paula Valadão e Helena Tannure
Obediência e intimidade

Compartilhe suas impressões de leitura,
mencionando o título da obra, pelo e-mail
opiniao-do-leitor@mundocristao.com.br
ou por nossas redes sociais

Esta obra foi composta com tipografia Adobe Caslon Pro
e impressa em papel Pólen Natural 70 g/m² na gráfica Assahi